太陽の塔の頂部に輝く《黄金の顔》。
未来を象徴するもので、眼にはサーチライトが埋め込まれている。

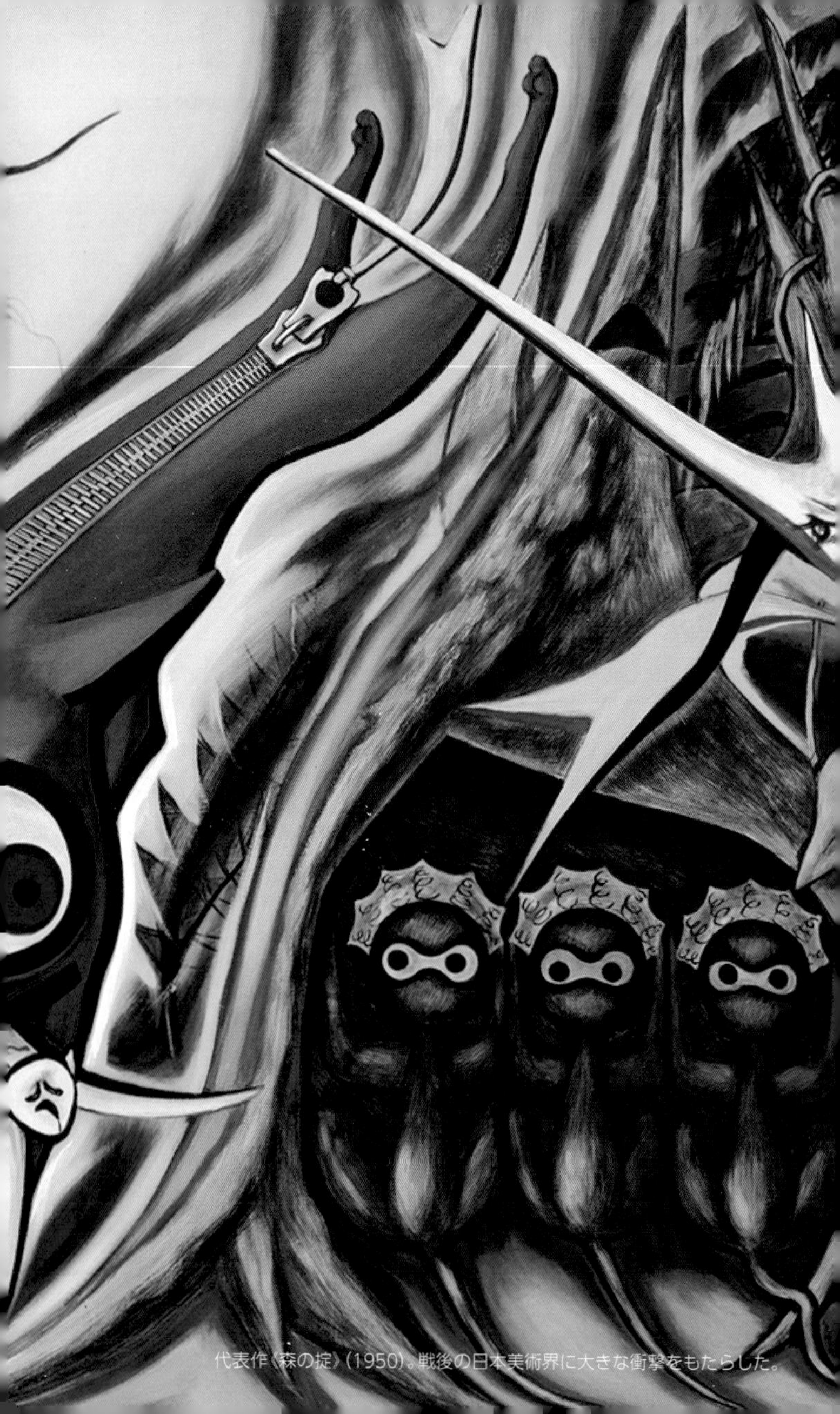

代表作《森の掟》（1950）。戦後の日本美術界に大きな衝撃をもたらした。

大阪万博テーマ館のために制作した《ノン》(1970)。

誰だって芸術家

岡本太郎

SB新書
607

プロデュース・構成　平野暁臣

人間としてもっとも強烈に生きるもの、
無条件に生命をつき出し、爆発する。
その生き方こそが、芸術だ。

序章　そもそも芸術ってなんだ⁉

第1章　道なき道をゆく　人生こそが芸術だ

第2章　ほんとうの　芸術家精神を持て

第3章　ただ衝動がある、　手段はなんでもいい

第4章 つくらなくても芸術家だ!

第5章 人はどうして芸術に感動するのか?

第6章 伝統も創造も超えてゆけ

第7章 忘れたくない日本の芸術

第8章 私は挑んだ、さて君たちは？

序章

そもそも芸術ってなんだ!?

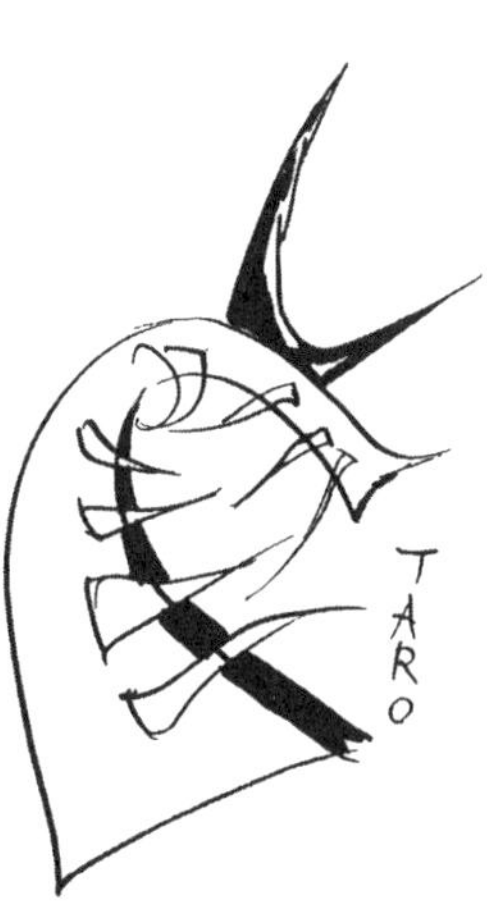

だれでもその本性は芸術家

古い考えにわざわいされて、まだ芸術をわかりにくいものとして敬遠し、他人《ひと》ごとのように考えている人があります。私は、このすべての人々の生活自体であり、生きがいである今日の芸術にたいして、ウカツでいる人が多いのがもどかしい。

これは、なんといっても一般に、「絵とは、こういうものだ」という固定観念がしぶとく食いいって、純粋、率直な鑑賞を邪魔しているからにちがいありません。たとえ自分では気がつかないでいても、人はいつのまにか古い習慣の無批判な虜《とりこ》になっているのです。

よほど正直に判断しているつもりでも、また芸術についてべつだん考えたこともないから、偏見だとか固定観念など持っていないと思っても、じつは大人《おとな》になるまで眼にふれ耳にしてきたすべてが、知らず知らずのうちに、膨大な知識・教養になっているのです。

それらは、ものごとにたいして眼をひらく力にもなっています。しかしその反対に、ものを自分の魂で直接に捉えるという、自由で、自然な直観力をにぶらせていることもたしかです。

もちあわせの常識で型どおりに割りきって見ようとする、悪い意味の通俗性と功利的な人生観を与え、かえって、人間としての純粋さを失わせることが多いのです。まして、時代おくれの教養にゆがめられている場合には、なおさらのことです。

そんな常識や教養の上に、のうのうとあぐらをかいていてはしかたがありません。自足せず、つねに新しい問題に全身を打ちつけて、古い己《おの》れをのり超え、精神を新鮮に保たなければ、いつのまにか不純で無用な垢《あか》が、眼に耳に、そして心の中にまで、のっぴきならないほど、いっぱいにつまってしまうものなのです。

たとえば、花は美しい、富士山は結構だということは、常識として、こどもの頃から、ちゃんとつぎこまれています。だから花というと、ろくすっぽ見もしないで、「きれいだ」と、合言葉《あいことば》のように言ってしまったりします。

花模様の着物なども、そうです。ほんとうの形の美しさも、色の調和もそっちのけにして、ただ「花」だからきれいなものと思いこんで、身につけているにすぎません。

近所づきあいや処世術などとちがって、純粋に直観しなければならない芸術鑑賞には、まず、このような不要な垢をとりのぞいてかかることが先決問題です。聞いたり、教わったりするんじゃなく、自分自身が発見する。自分の問題として、です。そうすれば自然に、自分自身で、ジカに芸術にぶつかることができる。

ここで私は「芸術」の説明をするのではありません。私のつねに主張していることですが、芸術は絶対に教えられるものではないのです。

芸術の学校なんて、オカシイ。芸術はすべての人間が生まれながらに持っている情熱であり、欲求であって、ただそれが幾重《いくえ》にも、厚く目かくしされているだけなのです。力になることができるのは、それをはずすこと、そのキッカケ、方法をいっしょに考えることです。

はずしたあとは、それぞれの実力で、自由に芸術を判断すればよい。きっと、「芸術がわからない」などというのが、どんなにバカげたことだったか、すぐに気がつかれるでしょう。そして、芸術こそ他人《ひと》ごとでなく、自分自身の問題であり、生活自体だということがわかってきます。

「近ごろの絵は、なんだか、わけがわからない」とか、「私のガラじゃない」などと言っていた、会社員から学校の先生、郵便屋さんから八百屋《やおや》の小僧さんにいたるまで、じつはほんとうは芸術家なのだということを、自分たち自身で立派に発見し、わからないと思っていた芸術が、なんだこんなものだったのか、と大根の尻《し》っぽかなにかを眺める程度にはっきりつかめてくるにちがいありません。

だれでも、その本性では芸術家であり、天才なのです。ただ、こびりついた垢におおわれて、本来の己れ自身の姿を見失っているだけなのです。いずれにしても、現在を不毛にし、生活を味気ないものにしている、余計な夾雑物《きょうざつぶつ》を切り捨てることこそ急務です。

芸術に見せかけた合言葉にだまされるな

近ごろは、あまり見られなくなってきたようですが、それでも料理屋とか古風な家などにいくと、ついたて、ふすま、のれん、タバコぼん、うちわなど、ちょっとした工芸品のすみにまで、よく八の字のような形が描かれたり彫ってあったりします。

この八の字は、富士山です。おそらく、これを見てわからないなどと首をかしげる人はいないでしょう。「あたりまえだ、あれは昔っから富士山に決まっている、いまさらそんなことは問題にならないじゃないか」と言われるかもしれません。でも、考えてみれば奇妙なことです。

この八の字からは、自然の富士山のなにものも感じとることはできません。大きな山の実感を捉えているわけでもなければ、富士山の独特な美しさが写されているわけでもない。

新しい絵はなにが描いてあるのかサッパリわからないと言いますが、八の字だって似たようなものです。しかし、これだと安心して、どこからも文句が出ない。だれも変に思わないのは、この約束ごとをみなが知っているからにすぎません。

つまり、絵ではなく、一種の符丁《ふちょう》、合言葉です。「八の字」——富士山——結構なもの、と文字のようにすらすら読めて、納得がいくだけの話です。なるほど、なにもわからないことはない。が、しかしいったい、なにがわかったというのでしょう。

この無内容なものにたいしては、いまさら、だれも憤慨したりはしません。形式的に、型どおりの場所に、単にあるというだけのものだからです。

新しい絵のように、現実生活にするどく働きかけてくる、切実なものにたいしてこそ疑問を持ったり、理解する・しないという問題がおこるのです。

もちろん、お料理屋の廊下などで、やたらに芸術的感動に打たれたりする必要もないので、それはそれでよいのかもしれませんが、こういうものがとかく芸術と混同される傾向があるから困ります。

これは象徴的な例ですが、八の字的形式は、意外にひろく絵画の世界にはびこっているのです。

たとえば、「鯉《こい》の滝《たき》のぼり」にしても、「竹に雀《すずめ》」にしても、そのほか松だの虎《とら》だの達磨《だるま》だの、私たちがしょっちゅう床《とこ》の間《ま》でお目にかかっているモチーフは、形式はずっと複雑化していますが、やはり八の字に毛がはえた程度の符丁にすぎません。

家を建てれば、要不要にかかわらず、かならず床の間という型どおりの場所をもうけます。そこにまたおなじように型どおりの、この類《たぐい》の符丁を、掛物《かけもの》としてブラさげる。そうしておけばかっこうがついた気になるというわけです。はじめから鑑賞などということはどうでもよいらしい。

自分が好きだから、とか、欲しいから、とかいうのではなく、世間体《せけんてい》と見栄《みえ》だけで環境をつくる。生活自体が、己れ自身の生きた現実を土台にしていないのです。

この惰性的な、実質をぬいた約束ごと、符丁だけで安心している雰囲気は、封建日本の絶望的な形式主義です。それが、どれほど生活を貧しくしてしまっているかわかりません。

西洋芸術の伝統がなんだというのだ

「モダンアートは、わけのわからぬしろもの(ヽヽヽヽ)だ、あんなのは絵じゃない」などと仔細《しさい》らしい顔をする手あいにかぎって、「静物」や「風景」や「裸婦《らふ》」なら、安心して見ているようです。ところで、よく観察してみれば、ここにもまた奇妙なことが、なんの疑いも持たれずに通用しているのです。

たとえば、「静物」といえば、かならず机の上に林檎《りんご》かなにかがころがしてある、いかにも無造作に。——素直に並べたのではダメで、セザンヌがやったようなころがしかたをしないと、ありがたみがないらしい。

——また俗にいう〝油絵のような〟「風景」だったり、素《す》っ裸の女が、派手な布地をはりめぐらした古風な寝台や椅子《いす》の上にゴロゴロしていたり、まるでこういうものでないと油絵にはならないと思いこんでいるようなありさまです。

まったくバカバカしい話です。いったい、あなたの机の上には、いつでもあんなにわざとらしくクダモノが、いくつもいくつもころがしてあるでしょうか。また、お宅ではお母さんやお姉さんが、恥ずかしがらずに、素っ裸でごろごろしていますか。

こういうモチーフは、そもそも日本に油絵が輸入された頃の、ヨーロッパの19世紀自然主義の画材で、それが明治、大正から今日まで、あきもしないで、ながながと繰り返されてきたのです。

これらは、それを生みだしたヨーロッパの市民生活には、時代的な意味もあり、現実感もあったのです。

たとえば、裸体画《らたいが》について言いましょう。西洋の建築は部屋に入って、いったんドアをしめてしまうと、絶対に自分だけの天地です。神さまだってのぞくことはできない。ここでは、夏の暑いあいだなど、じじつ、人々はまっ裸で生活しています。恋愛の秘戯も奔放《ほんぽう》な肉体の饗宴《きょうえん》です。つまり裸体は、親しい生活の上にあるモチーフなのです。

ご存じのように、ヨーロッパにはギリシャ、ローマの古代から肉体讃美の伝統があります。オリュンポスの神々の姿をはじめ、競技者の逞《たくま》しく均整のとれた肉体は、美と徳の典型でありました。

ところが、やがてキリスト教が盛《さか》んになると、その禁欲的な精神は、肉体を罪の落とし穴として忌《い》み、卑《いや》しめました。そして1000年あまりの久しい肉体侮蔑《ぶべつ》の時代のあとに、ルネッサンスをむかえます。

これは古典文化の再興であり、人間の地上的な生活の謳歌《おうか》です。解放されたゆたかな肉体を誇示するという風習がふたたび表面に出てきたのです。この時代の優れた芸術家、ボッティチェリ、ダ・ヴィンチ、ミケランジェロなどは、いずれもたくましいゆたかな裸体を表現し、それから後の西洋裸体芸術の伝統を打ちたてました。

ところがわが国では、事情がまったくちがいます。障子でも、ふすまでも、すうっと音もなく開けられてしまう。しかも、うっかりするとフシ穴や破れ目があります。これが、どれほど日本人の生活をせせこましくしていることでしょうか。

イジイジとまわりを気にしたり、互いに私生活をほじくりあい、アラを見つけて手柄にしたり。じつに、日本文化にとって、フシ穴、破れ目こそ運命的だというわけです。

こんな生活環境では、どうも危なっかしくて、たとえ家じゅうの人が出かけて自分ひとりきりだとわかっていても、あるいは、なにか事件でもおこって近所が全部出はらってしまったとしても、女のひとが安心して、素っ裸になって座敷に寝ころんでいるというわけにはいきません。性行為のばあいも、つねに、人目《ひとめ》をはばからざるをえません。

このように、われわれの生活感情にないモチーフを、型として持ってきて、それが自然だとか写実主義だなどと思いこんでいるのはコッケイです。

自然主義というのは、ほんとうは、西欧18世紀までの、実生活から浮いてしまった貴族文化の絵そらごとを否定する精神からおこったのです。

リアリズム——写実主義を主張した有名なギュスターヴ・クールベは、「自然のなかにこそ美がある。それは現実的なものの上に、さまざまの形として見出《みいだ》されるのだ」と言っています。

だから、それまでの絵画のように神話だとか、貴族や英雄の栄光などという非自然的だったり、民衆の生活から浮きあがったものを描くことをやめて、実生活のなかにどこででも見うけられる、きわめて散文的な画材をとりあげはじめたのです。

さらに印象派の画家たちも、机の上にごく無造作にころがっている林檎だとか、平凡な風景、身近な、ふつうの女性の裸などの、親しい自然な美しさを、神秘化することなく描きました。

これらの自然主義は、19世紀の市民階級の自由獲得の歴史に並行しており、その精神が芸術にあらわされたものです。だから、人々を打つ時代的な意義があったのです。

しかし、今日ではもはや、話がちがうのです。20世紀の自由な精神は、さらに積極的に新しい課題にむかってつき進んでいます。この時代に、１００年も前と同じようなことを、後生《ごしょう》大事に繰り返してみせているのでは、けっして芸術として人を打つことはできません。

今日の芸術とは？

ここで一度、正直に自分の心を振りかえってみてください。こり固まった趣味人は別として、現実の上に立って生活している人が、時代錯誤《アナクロニズム》の紋切り型に、根底から揺り動かされ、感動をよびさまされたり、それから問題をひき出されたりすることが、いったいあるでしょうか？

新鮮な時代の気分を身につけた人たちは、かえって、なにが描いてあるかわからないといわれる新しい絵画のほうに、はるかに情熱を感じ、端的な共感をいだいておられるにちがいないのです。こじつけではありません。それが今日の生活感情であるからこそ、あのように強力にひろがってきているのです。

展覧会に行っても、富士山とか美人画などは「ああ、きれいだ」と思って、そのまま安心して通りすぎてしまいます。ところがなにか、わけのわからないという絵にぶつかって、「どうもわからない」と言いながら、それにひっかかり、つい、その前に立ちどまってみます。会場の外に出てからも、かえってその絵のほうが印象として、あざやかに残る場合があるのに気づかれたことはないでしょうか。

道で、ふとすれちがった女のひとがきれいだと、たのしい。が、ものの10歩もいくうちに、ケロリと忘れてしまいます。ちょうどそのように、きれいな風景画も、たいていは、ただその場かぎりです。

きれいでもないし、うまいとも思えない、だからわからないという絵が、もしほんとうに優れた作品だったら、わからないながらも、それにふれたつぎの瞬間から心の眼がひらけてきます。じじつ奇妙と思われる新しい絵を見てから、いままで安心してたのしんでいたふつうの絵がなにかつまらなく見えてきたという人が多いのです。

人は気がつかないでいるかもしれないが、芸術は生活に物理的といえるほど強大な力と変化を与えるのです。知らないあいだに、すべてのものの見方、人生観、生活感情が根底からひっくりかえり、今まで常識や型にしたがって疑いもしなかった周囲が、突然なまなましく新鮮な光に輝きはじめます。自分では、あくまでわからないと思いこんでいても、すでに正しく理解しているのです。

私は、はっきりと言います。芸術なんてなんでもない。

人間の精神によってつくられたものではありますが、道ばたにころがっている石ころのように、あるがまま、見えるがままにある、そういうものなのです。

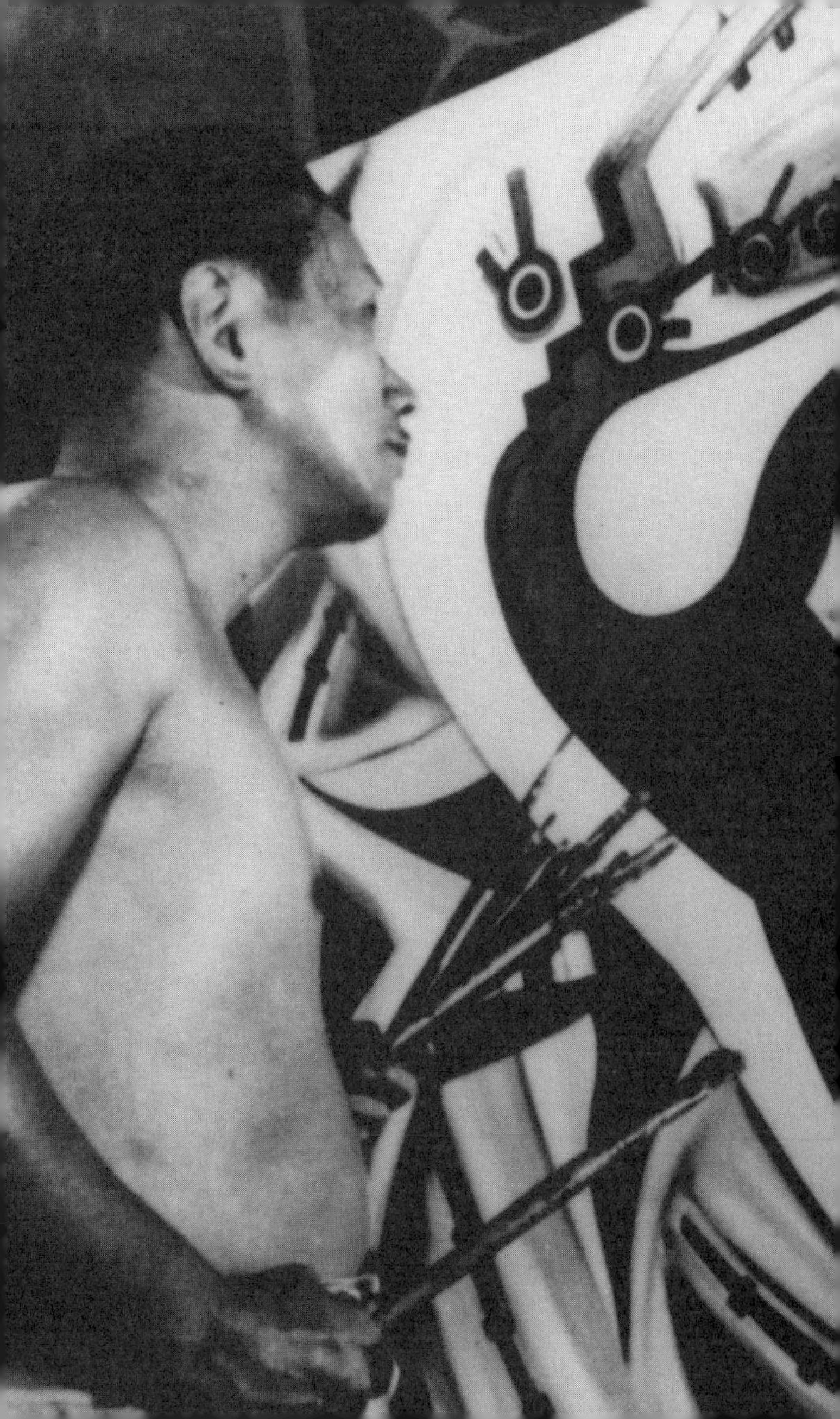

第1章

道なき道をゆく
人生こそが芸術だ

生きる絶望を彩ること、それが芸術だ

生きる瞬間、瞬間に絶望がある。

絶望はむなしい。しかし絶望のない人生もむなしいのだ。絶望は、存在を暗くおおうのか。

だれでも絶望をマイナスに考える。だが、逆に猛烈なプラスに転換しなければならない。絶望こそ孤独のなかの、人間的祭りである。

私は絶望を、新しい色で塗り、きりひらいていく。絶望を彩ること、それが芸術だ。

絶望するとき、あたりがくろぐろと淀《よど》む。そのむなしさを抱きながら、私はまったく反対の世界をひらくのだ。

絶望のブルー。眼の前に、透明なブルーが流れている。そしてその向こうに、紫のニュアンスがすっと切り抜ける。そして、キラッと真っ赤な線がひらめき、そのなかを舞うのである。それが、絶望の色。リズム。

人間は幼い頃から、人生をどうつらぬくべきかというスジを、意識・無意識に模索する。

私は小学校に入ったばかりの頃、見えない、渾沌《こんとん》とした未来の運命、その予感を、一種の恐怖的な戦慄《せんりつ》をもって見すえていた。

ほんとうに生きるということ。人生を絶対感でつらぬくこと。つまり、〝いのち全体〟を賭け、ひらいていかなければならない己れの道。……はるかに隔たった大人たちの世界を見ても、誇らしげなのも、惨めな思いで恨めしげなのもいるようだが、しかしほとんどが諸条件のなかで惰性的に流されている。そのむなしさが反映して、幼《おさ》な心は動揺しつづけた。

よく覚えているが、小学校2年のときに、来る日も来る日も、一日中、死にたい、死んでしまおうか、「自殺」が心の奥につきまとって離れなかった。それは執拗《しつよう》に、恐怖と救いの双面で迫ってくる夢魔だったのだ。

どう、この世界に――希望と不安。まさに、無限の夢と絶望感のなかに閉ざされる思いがした。

年ごろになり、ようやくその苦しみをのり超えて、実際に進む道を選ばなければならなくなったとき、私はごく自然に「芸術」の方向に向かって歩みだした。

幼い頃から絵を描くことには情熱的だった。学校教育の耐えがたい束縛のなかで、図画の時間こそは自由であり、自己発見、つまり瞬間、瞬間、自分との直接的対面のチャンス

太郎が14歳で描いた水彩画《敗惨の歎き》。中学生とは思えない構想力と画力だ。

でもあったからだ。父は画家だったし、油絵の道具などもごく日常的に親しんでいた。しかし私は、いわゆる「絵描き」になろうと考えてはいなかった。こどもながら、画家という職業的な枠に抵抗を感じていたのだろう。だが社会人になれば、この世の仕組みのなかであり方を決めなければならない。

私は美術学校に入学した。だが半年でやめて、パリに渡った。18歳のときである。

若き日の情熱と苦痛

日本ではようやくフォーヴィスムが台頭してきた時代だった。ドラクロア、コロー、印象派ではマネ、セザンヌ、後期印象派。さらに、多分にエコール・ド・パリの影響もあり、マティス、ヴラマンク、ヴァン・ドンゲンなどが話題の中心になっていた。そのような漠然とした世界絵画の知識を持ったまま、未熟な私はひとりでパリに飛び込んだのである。1930年だった。

パリには当時、おびただしい日本人画家が遊学していた。300人ちかくいたろう。まさに最全盛期である。

彼らの多くは印象派風の静物を描いたり、新しいほうでは、せいぜい鏝《こて》を使ってスゴンザックばりの風景をでっち上げたり、金髪碧眼《へきがん》のモデルを使ってマティス風のデフォルマシオンを真似たり、新奇をもとめて右往左往のていだった。全体がなにか行き詰まった感じであった。

パリに遊学すればたいへんなハクがつく。しかし、行った以上は、かならずお土産を持って帰らなければならない。それは日本ではまだ知られていないパターンを仕入れて帰るということだった。なにか変わった形式を、ヨーロッパの作家の中から探しあてるということが宿題だったのである。

苦労してパリまでやってきた絵描きたちが、アトリエの隅で飯を炊き、持参した味噌で汁をつくったり、即製の漬物の茶づけに郷愁を慰めながら、フランス語も喋らず、パリの空気にまったく溶け込もうともしないで、アトリエにとじこもっている。そのくせ、いかにも「滞欧作品」らしい、パリの風景、金髪の裸婦などをわき目もふらずに描きためている。

彼らの会話を聞いていると、「そろそろ型を決めなくちゃ」とか、「何々風をやっとどうやら身につけた」とかいう、自慢話やうわさ話でもちきりだった。意地悪く誇張して言うのではない。当時とすれば、これはきわめてあたりまえのことで、その頃の作家たちに聞けば述懐してくれる平凡な話だ。

ところで私自身は、一段と歳が若く、またパリに永住する覚悟だったせいもあろう。お土産とか、手近なパターン獲得などということは微塵《みじん》も考えなかった。与えられた運命の前にまったく白紙であり、またそうでなければフランスに来た意味がないということだけが、わかっていた。

私も素朴に、モデルを使って絵を描きはじめた。しかし、どうにもならない空虚に襲われる。誠実であればあるほど、私は混乱した。生活をとおしての必然性もないのに、形式的な、あるいは単に感覚的なデフォルマシオンをして、芸術的?作品を描いていったいなんの意味があろう。描けば描くほど、1タッチごとに耐えられない不自然さを感じて、私は筆をなげうってしまう。

まず無条件にパリの生活の中に身を投げ入れ、己れを滅《めっ》して後、やがてそこから自然にわき上ってくる純粋な意欲と感興《かんきょう》によって、自己の表現をつかみとるほかはないと考えた。そして2年半のあいだ、私はすでに身についてしまっている自分の殻を脱ぎ捨て、パリの雰囲気の中に溶け込んでいった。情熱的であり、苦痛であり、そしてそれは悔いと甘美のいりまじった思い出である。

しかし、やがて私は救われた。ある日、ピカソの抽象作品にふれて、太い棒でたたきのめされたようなショックを受けたのだ。すでに身の内に用意されていた近代芸術への感動が、セキを切ってふきあふれる。そして、抽象的な技術こそ、晦渋《かいじゅう》な地方色を否定し、きわめて自然に国境をのり超えた、真に世界的な表現様式である、と確信的に感じとった。

私の親しいフランスの友人のなかに、抽象画家がいた。しばしば熱心に彼と芸術論をたたかわせ、したがってかなりの深い関心を持っていたのだが、私はそのときはじめて新しい芸術に飛び込んでいくふんぎりがついたのである。

人間の存在、その運命全体をつき出す

そして自分のアトリエにとんで帰って、思う存分に抽象的表現をこころみた。

はじめの数枚はどうしても主観的で、われながらぎこちないこだわりが感じられたが、しかしいままでにない新鮮な情熱は、ぐんぐんひきずって私をつき進めていった。今度は絶望しなかった。そして次第に、私独特と思われる表情が加わってきた。

あたかも、30年代の尖鋭《せんえい》な芸術運動として、モンドリアン、カンディンスキー、ドローネー、アルプ等々、世界的な抽象芸術家の集まった、アプストラクシオン・クレアシオン

（抽象・創造）協会が結成された。アルプやエルバン、ペヴスナ、ガボ等が私のアトリエに作品を見にきて、運動に参加するようにすすめられた。

私はよろこんでこの会に加わり、抽象画を描きすすめていった。この運動の中で得たものは大きい。しかし当初から私は彼らの抽象主義にはかなり批判的であった。

抽象・創造協会のメンバーは、幾何学的な純粋抽象の開拓者とか、立体派からより抽象化した人、構成派、また建築運動やバウハウスからの流れ、メカニズムに対する関心から造形を試みるもの……全体として冷たい、いわば有機性や抒情性《じょじょうせい》を排除した、固い抽象の傾向をおびていた。もちろんそれには当時の主潮であった印象派、フォーヴィスムなどに対決する近代的な自覚と、その運動があったのだが。

しかし私はそのような純粋抽象に納得できなかった。あまりにも狭い。視覚にかたよっている。それではタブローの上だけの問題ではないか。私のドラマや触覚までも満たさなければやまない貪婪《どんらん》な慾望にはなんとしても狭い。

私はいつでも生きたものが描きたかったのだ。手にふれられるようなもの。つめたい合理性に対しては、むしろ非合理的な、生命の根源的な情感のなまなましさを。

……これが私の作品を、抽象絵画でありながら、単なる抽象でなく、いわば超現実的な様相をおびさせた理由である。

私は確信していた。芸術表現は人間の存在、その運命全体を、無条件につき出すべきものであって、色と形の美を基準に安定する、いわゆる「美学」であってはならない。色を超えた色、形を超えた形、それが生命の実感であり、実在なのだと。

だからアブストラクシオン・クレアシオンのなかで、私は自分の独自性をはっきりと噛《か》みしめていた。つまり抽象芸術をひとつの出発点として、国境を超えて世界性を持つ無条件で自由な表現に己れを賭け、運動に加わったが、しかしそのなかにあって、同時に私は一貫してアンチ抽象でもあったのだ。

たしかに抽象芸術運動に参加したことによって、私は己れをひらき、救われた。しかし、とび込んだ以上その場所で、その状況とこそたたかい、それを超えなければならない。じじつ、私の絵だけはほかのだれのともちがっていた。

尊敬するものとこそぶつからなければならない

加えて、私にはもうひとつの大きな問題があった。

ピカソだ。

そもそも私は、ピカソの作品にふれて抽象の道に踏み込んだ。私の青春期は圧倒的にピカソにひかれ、ピカソへの敬服は絶対的だった。しかし単に憧れているのではなんにもならない。それは自己喪失であり、感激は一種の悪循環となって不毛である。

自分が尊敬すればするほど、それに対決し、それをのり超えるファイトでぶつかっていかなければならない。

だが、考えてみれば奇妙なことだ。自分が絶対に尊敬する場合、その相手、いわば敵の形式は絶対的だ。虜になれば、彼の世界のなかに入り、その方法で自分を発見しようとする。

しかし、それはまちがいだ。こちらはぜんぜん別の形で、相手にない武器をもってのり超えなければならないからだ。そこに矛盾がある。

ピカソのヴァルガーな激しさ、それを誇示している表現。いわば暴力的なエネルギーの奔流《ほんりゅう》。その主調に対して、私は別の力をつきつけたいと思った。いわば日本人独特の、純粋なリリシズム、優美でありながら、気格のある装飾性。繊細な鋭さ。

異境にあって孤独な20代の、青春の憂愁がそれにからんで、ひとつの独自な表情を打ち出した。それは私にとって成功であった。

しかし、さらに矛盾はひらけていった。

芸術の仕事にとり組み、身を賭けている。だがそれに突っ込んでいくほど、なにか世界から浮いているというような一種のむなしさ、欠如感を私は感ぜずにはいられなかった。なにかまったく別の方向から人間を、人生をとりあげ、写し出さなければならないのではないか。芸術という、いわば自分ひとりの情感によって、一方的に世界を見とり、染めあげてしまう、つまり演繹的《えんえきてき》な人生観に逆に疑問を感じはじめた。そのスジだけでよいのだろうか。

私はパリ大学で哲学、社会学、やがて民族学を勉強しはじめた。まったく正反対のメソードである。人間の生きる意味を、外的な諸条件、そのアカシだけからつきとめる。その無言の証拠から帰納されてくる巨大な人類の全体像は圧倒的だ。

ちょうどミュゼ・ド・ロム（人間博物館）が１９３７年の万国博のあとを利用してつくられた。そこにならべられた数々の文化遺産。その多様さは私の頭と心に描いていた世界観をみごとにくつがえし、新たな次元で華麗な像を結んでくれた。

人間世界は巨大な花壇にたとえることができるだろう。赤々と咲く大輪の花もあるが、黒く戦闘的につきあげたのも、黄色くつつましくひらく小花もある。あらゆる色、形。絢《けん》爛《らん》とした多様な輝きのなかで、日本もまぎれもなくあざやかな個性である。

私は日本人としての自分を再確認しなければならないということを、強烈に悟った。ひろい世界のなかに、独自な生命感をひらくこと。ひらききること。それこそ生きがいではないか。

今まで、西欧文化の濃い結晶、その洗練に心をとけ込ませ、感動的に血肉として身体《からだ》じゅうに吸いとりながら、言いようのないむなしさを、また底の底のほうに感じつづけていたその意味が、ようやくわかる思いがした。

日本人でありながら、日本を捨てていた私。しかし、この時点でこそ、日本を再獲得しなければならない。近代主義的な、小市民的な生き方をつきぬけて、独自な運命に身を賭けない限り、生命の充実はないのだ。

まったくインターナショナルな芸術家の世界に身を置きながら、たえずつきあたる疑問——では、自分とはいったいなにか。日本人である自分の土台、民族性とか伝統というものに、とうぜん関心が向いていく。少年の日に訣別《けつべつ》して以来、私はそれを具体的に知らない。自分の眼で、はっきりと見きわめたい。それは自分自身をつかむ熱望でもあった。

縄文土器に見つけた「激しいいのち」

1940年、ながいパリ生活を打ち切り、私は母国に帰ってきた。新しい眼で日本を見かえし、自分自身の根源をたしかめようと。

ところが、ちょうど戦争直前。私の心身にぶつかってくるあらゆる問題は、意想外だった。東京の町で聞く声も、知識人との論争のときにも、そこにもち出される「日本」、その気配はまったく正気とは思えなかった。ファナティックで、いびつで、すべてが私の眼にはむなしく映ってしまう。

そのリアクションだろうか。期待して訪れた奈良、京都なども灰一色なのだ。戦後、伝統論の対象として、いちおう突き放して再認識したときには濃いいろどりとしてもどってきたが、その当時の私の熱っぽい憧れ、焦慮感《しょうりょかん》にはこたえてくれなかった。奈良の古寺など、全部がしらじらしい古代中国文化のイミテーションとしか眼に映ってこなかった。空疎だ。

そんなとき、うつろな気持ちで境内を歩いていると、ふと、淡い陽ざしをうけた土塀《どべい》の外側に、孤独に、しかし高々とつきあげた松が眼にとまる。これだけがほんとうに生きている。ながい歴史に耐えたそのたくましい幹に身を寄せ、頬ずりして生命の充実をたしかめあいたい、そんな懐かしさを覚えた。

京都のちまちました雰囲気には、さらに絶望した。ひどく裏切られた思いだった。

軍国の風潮とは反対の側から、日々、全身で「日本」を追いつめていたのに、この国の運命は急速にゆがみに向かってすべり落ちていった。――大東亜戦争。

ところで、敗戦後の日本はさらにとりとめなく雑駁《ざっぱく》だった。私もその日を生き抜くのにせいいっぱいだった。

そんなある日、上野の博物館で、日本のもっとも古い文化にふれたのだ。

縄文土器。

このとき、心がひっくりかえる思いだった。人間生命の根源。その神秘を凝集し、つきつけた凄《すご》み。私はかつてこんなに圧倒的な美観にぶつかったことはなかった。全身がぶるぶるふるえあがった。

あの感動は私にとって決定的だった。

縄文文化はやはり私の奥底に生きている。あの激しいいのちが、気が遠くなるほどの昔、歴史の暗やみから、生きつづけてこの心に伝わってくる。私が縄文を発見した瞬間から、熱気と戦慄をもって根源の感動が脈打ちはじめた。

これだ、と思った。ここからの再出発。

およそ「日本的」でない、いわゆる「日本」とは一見正反対にさえ見えるこの始源から、徹底的な抵抗を前提として、私は、そして日本の現代文化は、再出発しなければならない。それは、私にとって誓いであった。

オレの人生はおもしろいねえ、だって道がないんだ

私は「対極主義」を唱えた。日本の文化界、美術界の惰性的状況に挑んだのだ。以来、ずっとそのスジをつらぬいてきた。

だがそれを「主義」として主張し、広めようとはしなかった。主義という型にはめると、対極は死んでしまう。理論づけて同調者をもとめたり、ロジカルに一般化しようとするよりも、私は孤独のなかで、いわばナマ身で、両極の間に引き裂かれて生きたい。あくまでも己れ自身の生きるスジとして、悲劇的に深めていくべきだと思ったからだ。

だから対極はいまも私の生き方の根源にある。

その芽を自覚したのは、パリ時代、ソルボンヌのオートゼチュード（特別学科）で週に

1回、哲学関係の教授や専門家たちが数名集まるヘーゲルの「精神現象学」の講義に参加したときだった。

強烈な弁証法論理にふれて、情感的なショックを覚えたが、しかし結果として、なにか私には問題が残った。それは彼の最終哲学の観念、「テーゼ、アンチテーゼ、ジンテーゼ」、弁証法の結末となるジンテーゼ（合）の哲学概念に納得できない面があったからだ。

私自身の生命的実感として、いま、なまなましく引き裂かれながら生きている。「正」の内にまた相対立する「反」が共存しており、激しく相剋《そうこく》する。「反」の内にまた闘争する「正」がゆるぎなくある。その矛盾した両極が互いに激烈に挑みあい、反発する。

人間存在はこの引き裂かれたままの運命を背負っている。ヘーゲルのように理論を前提としたのではなく、この永遠の矛盾に引き裂かれてあることのほうが、はるかに現実的な弁証法。弁証法は正・反・裂かれてあることが絶対なのだ。

私はふりかえって思う。よくこの人生、一筋につらぬいて、生きてきたものだ、と。

ほんとうに生きる生命は、どんどん勝手にのびていってしまう。のび、ひらき、そして縮み、またのびていく。われながら困惑し、絶望する。だが、アッと眼をおさえ、あわてながら、それに引っ張られていくのだ。

いわば無限にころげていくキリキリ舞い。そのあとが有無をいわさず、己れの運命となり、ぴいんと引きつらぬいて、とおっていく。

バラバラに乱れた渾沌のなかに、生命をつらぬきとおすのだ。

ときどき、声を出して笑う。

「おもしろいねえ、じつに。オレの人生は。だって、道がないんだ」

眼の前にはいつも、なんにもない。

ただ前に向かって身心をぶつけて挑む、瞬間、瞬間があるだけだ。

第2章

ほんとうの芸術家精神を持て

猛烈な素人たれ

今日の芸術は、
うまくあってはいけない。
きれいであってはならない
ここちよくあってはならない。

私が主張する芸術の三原則だが、職人芸はまさに逆。うまく、ここちよく、きれいにできるものが職人芸であり、そこには芸術の生涯の真の感動がない。この世の中に何千年ものあいだにつくられた職人の作品は無数に残っているが、私にいわせればその多くが、つまらない卑しいものばかりだ。

職人芸の栄えたヨーロッパの文芸復興期以後につくられた美術品、日本の徳川時代の職人芸である漆を使ったものや彫りものなど、骨董《こっとう》屋や博物館ではたいへん高く評価されているが、ほとんどは卑しい不潔なものばかりで、見てもちっともうれしくない。

ところが、オセアニアやアフリカの原始芸術、カナダのイヌイットなどがつくったものを見ていると、ほんとうにドキッとするほど感動する。それにはサインなどしていない。もともと展覧会に出品するつもりでつくったものでもないし、「芸術作品」ではないからだ。たまたまイギリス人やフランス人、日本人が行って、煙草《たばこ》やビーズなんかと交換して本国に持ち帰って博物館に並べたから、変におさまって、なにかしら「作品」のごとく、あたかも専門家職人がつくった感じがするが、そもそもみんな生活者が生活の必然からつくったものだ。

作品として他人に見せようと思ってつくったものではなく、なにかもっと必然的に、平気で、てらいもなく、それを打ちだしている強さがある。無名性であるということ、言い換えればほんとうの素人《しろうと》であるということだ。

現代では素人だってなにかつくるとき、玄人《くろうと》の真似をしてしまう。だからつまらなくなる。玄人の真似をしない徹底的な素人の感動を、私は「猛烈な素人」といっているのだが、それこそが芸術のほんとうの契機《けいき》だと思う。

このような職能分担・分裂はあらゆる分野に起こっている。歌を歌う人、踊りを踊る人、みな専門家になる。かつて原始の時代には、どんなに声が悪くても平気でだれでもが歌っていた。宇宙を相手に、宇宙そのもののように、どんな下手な踊りでも踊っていた。

だが、やがて社会が進歩すると、君は下手だねといわれたりする。様にならないから、別の用事でもしていろとか。社会が発達してくるにつれて、踊りのうまい人だけが、年中踊るようになる。ますますうまくなる。踊りもリファインされ、素人にはできないような芸が珍重される。

つまり、祭りのなかでみんなが歌い、みんなが踊り、みんなが自分の身体にイメージを描き、みんなが面や衣装をつくる。みんなが芸術をやって、自分の全存在を回復していたが、専門家にすべてまかせるようになると、専門家以外の人はやる必要がなくなってしまう。あとはただひたすら生産にたずさわっていればいい。

デザインと芸術

すなわち原始社会においては、人間生活のアクティヴィティ全部が根源的に一体であったものが、文化が発展するにしたがって、分化され、職業分担が起こり、専門家ばかりができてくるようになった。

専門家は自分の分野だけに熱心になる。というより、熱心にならなければ飯が喰えないとか出世ができないという悲しい理由で、自分の専門だけに固執《こしゅう》する。そのため、一般にユニヴァーサルな世界観や宇宙観といったものを見失ってしまい、本来は全人間的に対決すべきものを職能家、専門家として処理してしまう。

だから全体的に生きる人間が少なくなる。世界を見渡すこと、世界と自己を対決させていくことができない。技術主義になったり、便利な好かれる職人になるかもしれない。だが本質的に感動させるものが伝わってこない。

芸術も本来、美学的形式は問題にしないで、それを超えて絶対に迫っていたけれども、やがてその中から美学的なものだけを抜きだして、デコラティヴなここちよいものにしてしまう。芸術といいながら、古い芸術を目的にする。「芸術のための芸術」になってくる。

この「芸術」がさらに細分化され、いろいろなアクティヴィティを持つようになる。たとえば「デザイン」だ。日本語では意匠と訳すのだろうが、どこかわざとらしい言葉だ。自然に生まれてきたのではなく、無理につくりあげたような感じがする。

戦前は、図案などといわれていた。余談になるが、いま写真家なんていっているけれども、戦前は写真屋であった。芸術的な写真を撮っていても、写真屋は写真屋だった。

戦後も3、4年くらい経《た》った頃、写真雑誌の編集者に、うっかり「写真屋はどうしているか」と聞いた。するとその編集者は、「写真屋なんていうとみんな憤慨しますよ。いまは写真家というんです」。

つまり、写真屋といったのでは程度を低くみられ、おもしろくないというので、「家」という字をつけだした。これで、なにか昇格したような気分になったのだろう。要するに、街の一角に店をかまえて、お見合い写真や記念写真を撮るのが写真屋であって、俺たちは芸術家だ、写真家だというような意識がでてきたと考えられる。

商業デザイナーにしても、戦前はいわば図案屋で、建築デザイナーは建築家というよりむしろ建築屋という意味のほうが強かったのではないか。ともかく、いまの商業デザイナーは図案屋だった。しかし、彼らの仕事もだんだん芸術家意識を持ってきて、注文仕事だけでなくもっと自由に独自性を持ち、また創造性を持ってつくっていくということで、芸術の範疇《はんちゅう》に入ってきた。

それまでは、言われたとおりに描いて、自分の意志があるなしにかかわらず、注文や約束ごとのなかで仕事をしていたけれども、創造性を持って新しいデザインをつくるようになると、自分たちは芸術家であるという意識を持つようになる。

ポスターでもインテリア・デザインでも、つまり椅子、テーブル、それから大きな機械的な設計をする人でも、インダストリアル・デザイナーとして芸術家意識を持ってきた。

たいへん結構なことだ。

ところがすべてのデザイナーが芸術意識・芸術家意識を持ってきたにもかかわらず、今日のデザインはなにかやっぱりデザイン、あまりにもデザインなのだ。デザインだって芸術だ、などといきまけばいきまくほど、逆にしらじらしい気がしてしまう。無理をしているような気がする。

芸術、即、人間。

この問題を少しつっ込んで考えてみよう。

私は、画家ということになっているけれども、絵描きが芸術家だとは、少しも思っていない。明治・大正の時代に、西欧の近代思潮を輸入して、絵描きは芸術家だ、詩人もやはり芸術家であり、音楽家も芸術家であると。つまり、音楽・文学・絵画、とりわけ美術が芸術の中心であるというような錯覚というか、そんな決まりにならって、日本に芸術家意識が植えつけられた。

それまで町の絵師であり画工であったピープルが、とたんになにか異様なプライドを持ちはじめ、風体《ふうてい》が特殊になるばかりでなく、顔つきまで変わってきた。そして、目つきが

パリ時代の太郎。後ろに《リボンの祭り》(1935) が見える。

深刻らしくなってくる。

　じつは目つきが深刻なやつにたいした絵描きはいないのだが、まわりの連中も、芸術家、芸術家とまるで別の価値があるように思いこみ、ご当人もなにか深刻であり偉くなったような錯覚に落ちこんでいる。むなしい。

　そういう意識を抱いている絵描きどものなかに、芸術家たる人間にほとんどお目にかかったことがない。むしろ絵も描かなければ、いわゆる芸術と称せられるなんのアクティヴィティを持たない、作品をつくらない人のほうに、はるかに芸術的な感動を持ち、それを汲《く》みとり、人間的に生きる、つまり芸術家である人が多いと思う。

芸術と芸術家意識はちがう。芸術家といっているが、じつは芸術屋なのだ。絵描きたちはいわゆる「芸術」というパターンをなぞる職人芸術屋といったほうがいい。舞台の上で特殊なつくり声をだして、両手を広げ眼をつりあげて歌っている歌手も、芸術屋であって芸術家ではない。

そもそも芸術は職能としてあるものではない。本来、真に純粋な生きがいを持って生きる人間の姿、その人間像のすべてが芸術なのであって、いわゆる「作品」などをつくらないことだってあり得るのだ。

芸術、即、人間。

人間のほんとうの生き方が芸術なのであって、芸術は、人間本来の生きる意味のように、無目的的である。ところが職能化したために、とりわけ商品経済になってくると、いわゆる「芸術」と称されるものすべてが、卑劣に、目的的になってしまった。

無目的的から目的的になってしまった芸術

かつて芸術を無目的的に意識なしにつくっていた時代、とりわけ宗教芸術は、美学的な効果よりむしろ宗教的な効果を目的にしていた。だから美学的にはいちおう無目的的な、無償の作品であるといっていい。

とくに中世以前の美術品などは、美が目的というより、信仰・宗教、その神秘にパワーがおかれていた。そこから必然的に美が生まれ出たのであって、美学的な美、それ自体を目的にした美ではなかった。われわれが現時点でそれを、あたかも美であり、美術品であるかのごとく勝手に思っているだけだ。

たとえば、秘仏《ひぶつ》は人に見せないことを前提にしていて、いわゆる美的鑑賞の対象になるなんてことは考えてもいない。だが逆に、美学的な配慮がないために美があらわれ、芸術的感動を受けるということがある。

芸術品をつくろうとして仏像をつくったのではなく、仏の魂、仏への信仰のもっとも神聖な感動をこめようとしてつくったそれが、われわれのように信仰心を持たない人間を感動させる。

つまり、無信仰な人間が見るからこそ、仏像にしてもキリストの像にしても芸術的な判断で見てしまうのだ。あの仏像はすばらしいというのは、信仰的に打たれるのではなく、それが人間的に強烈な表情でできているからだ。

グロテスクなのは、白鳳《はくほう》・天平《てんぴょう》時代の仏像までを近世的な西欧美学の眼で、良いの悪いのと言うことだ。和辻哲郎《わつじてつろう》のとくに感心している聖林寺《しょうりんじ》の観音《かんのん》など、ひどくデカダンである。彼は、明治時代の最高教育を受けたわけだが、その頃に入ってきた西欧の近代思潮は、すべてギリシャ・ローマ文化を源流にしている。この系統の文化のなかでつくりだされたものは、均衡《きんこう》がとれて美しく、ここちいい。

だから、20世紀初頭になっても、ギリシャ・ローマ文化の伝統を受けついだ西欧アカデミズムによれば、ヴィーナスの石膏《せっこう》像や、アポロなどが崇高な美であるとされてきた。

そういった西欧的美意識によって眼をひらかれたばかりの明治の教養人。いわばその驚きと新鮮さで、彼は仏像を眺めていたわけだから、均整がとれて、ギリシャ文化のスジに合うようなものが傑作だ、と考えてもおかしくはない。

史実としても、仏像はギリシャ文化を源とした影響を受けてできたものだ。だから仏像はたいへんギリシャ的であり、写実的である。写実主義を生んだのは19世紀だが、絵画でも写真的な描き方をしている。そういう19世紀のアカデミズムから見ると、日本にもこんなものがあったのかと感心する。

余談だが、西洋アカデミズムかぶれの明治期には、いろいろ価値評価の混乱が起こっている。古来、法隆寺にある止利仏師《とりぶっし》作の「釈迦三尊《しゃかさんぞん》」が最高とされてきたのだが、それを見た先生方は感心しない。西欧19世紀的な眼で見ると、非常にまずいのだ。プリミティヴすぎる。そこで困った。明治時代の美術史家などアカデミズムに洗脳された連中は困った。昔から結構なものとされている。だから悪くいうわけにはいかない。そこで、じつにうまい言葉を発明した。「古拙《こせつ》」である。古拙はただ拙いんじゃない。新しい「拙」は駄目だが、古拙ならよいとした。いまでは評価の基準がすっかり変わったから、古拙などという苦しい言葉は使わないけれど、古い本を見ると盛んに書かれている。

話をもどすと、仏像などはいわゆる美学が目的ではなく、信仰的な対象として絶対観に迫ろうとしてつくったもの。そこに、はからずも、いや必然的に美があらわれた。

ところが、われわれは信仰を持たないから、仏を拝むなんてことはできない。もっとずうずうしく、眼のところがどうだ、手の動きがどうだ、衣紋《えもん》の流れ、髪がどうだとか口元がじつによいなどという。だが、そんなことはどうだっていいのだ、信仰の対象というものは。

こういう技術主義的・美学主義的な風潮は、西洋でも近世、ルネッサンス時代になってからであり、この頃から芸術や絵をたのしむようになった。対象が神聖なもの、たとえばヴィーナスや聖母マリアなど、さまざまな神格が画材になったわけだが、キリストの絵でさえ、絶対的な神聖感をあらわそうとするよりは「良い絵」を描こうという、画家がたのしんで高度な絵画技法を使いこなすことだけが、つまり美学だけが目的になった。

だから、ルネッサンス時代は美術が栄えたといっても、一面からいえば、ひどく卑しくなったと私は思う。

さらに近世国家の時代になると、貴族のポートレートを描くことが中心になる。ルイ14世などの王様がいばって、凄い正装をしていたり、ナポレオンが馬に乗っていたり……ナポレオン時代に至って、貴族文化は終わってしまうのだが。貴族のポートレートを描くわけにいかなくなって、画家は風景や静物を描くようになる。いささか簡単すぎる説明だが、一口にいえばそういうことだ。

18世紀までの画家は、ちょうどいまの庭師とか建具屋のように、ほとんど注文によって描いていた。目的的という意味では、寿司屋やラーメン屋とおなじだ。客の注文によって、気に入るように、そばをつくり、寿司をにぎる。

ほんとうの芸術家が出てこない理由

ところが、フランス革命の結果、貴族階級は打倒され、ブルジョアジーが社会のヘゲモニーを握ることになった。いままで絵描きをかかえていた御主人が、急にいなくなってしまったわけだ。

新しい権力を得たブルジョアジーたちは、やがて生活が安定してくると、客間に絵画を飾るようになり、絵描きたちの新しい客になった。しかもその数は貴族とは比較にならないくらい多い。以前のようにお出入りとか、お抱えという直接の関係はなくなって、代わりに市場ができた。

絵描きは一生懸命絵を描くのだが、それをだれが買うのかわからないし、どんなところに飾られるのか、イメージを持つこともできない。なんでもいいから、自分の好きなものを、好き勝手に描いてみろ、気に入れば買ってやる、というわけだ。

だれかに気に入られたかどうかは、絵が売れてみないことにはわからない。そういう資本主義的な、非情な関係に変わった。

いままでは××侯爵はこういう色あいがお好きだとか、○○伯爵夫人のお気に入るにはこういうふうにすればいいとか、注文主の好みがはっきりとわかっていた。だがそれがすっかり御破算になってしまった。

だれのために描くのか、なにを描いたらいいのかわからなくなって、絵描きは悩む。

そして最後には、絵画――芸術とはなんぞや、という問題になった。それを自分の責任においてとことんまでつっこみ、社会、人類にたいして、これだというひとつの答えを出さなければ絵が描けない。こうして絵画は芸術になった。

職人はこういう問題について考えこんだりしない。建具屋を呼んできて、ここにこういう障子をはめたいんだ、といえば、「へえ」と寸法を測って、約束の日限には注文したとおりの障子をかつぎこんでくる。敷居にはめてみれば、スーッと動いて、じつにうまいものだ。なにも余計な文句なんかなく、注文主の思ったとおり、ピタリとはまる。

これがえらく芸術家的な建具屋で、頼まれたとたんに、いったい障子とはなんぞや、自分はなんのために障子をつくるのか、なんて深刻に考えこんでしまうようでは困る。

絵描きもおなじで、職人だったあいだは、芸術とはなんぞやなんて問題はなかった。ただ注文された仕事を、できるだけ注文主の気に入るように手際よく仕上げればよかった。

今日でも、これとおなじような態度で仕事をしている絵描きがたくさんいる。画壇でもてはやされているのは、たいていこういう作家だ。ただし、かつての貴族時代とはちがって、彼らの主人は画商である。資本主義的なメカニズムのなかでは、生産者と不特定なマスである消費者とを結びつける仲買人が大きな力を持つからだ。

まず彼らに好かれ、気に入られて、市場に出してもらわなければならない。どういうのをやればうけるか、これははっきりわかる。画商は注文さえ出す。そこでそれになずんで、合わせて描く。まさしく職人芸だ。

こういう点では、パリやニューヨークはひどいものだ。前衛的な絵でも、ちゃんと画商がついて商品化されているから、作家の制作も自分の勝手気ままにはいかない。

画商がある作家を売り出そうとする。投資し、宣伝費もかけ、苦労してやっとお客さんがついてきた。つまり商品として通用するようになったときに、その作家がまったく別のスタイルで描きだしたら、画商としてはいままでの投資も努力も水の泡だ。

たとえ芸術上の主張としては正しくても、そんなことをされては困る。彼らは自分の売りこんだ作家が画風を変えることをよろこばない。むしろ許さないといってもいい。職人として、注文どおりの仕事に応じることを要求するわけだ。

そういう制約にもかかわらず、あえて変貌《へんぼう》し、しかもそれを押しとおしたのはピカソくらいのものだろう。そこにも彼の偉大さが立証されている。

一定の画商や批評家だけを直接対象、御主人として、そのために描かれる絵が、芸術として限定されたものになってしまうことはいうまでもない。今日の欧米画壇の、現実遊離の抽象ばかり、というのは、こういう土台に原因があると思う。

味わってなんかもらいたくない

こうしたのっぴきならない画壇性にくらべて、逆に日本みたいに絵が売れず、注文主とか買い手なんかぜんぜん考慮せず、ただ社会に対する発言、宣言、闘いとしてつきつける現代芸術、微塵も職人芸である必要のないモダンアートこそ、今日新しい芸術の可能性をきりひらいていくチャンピオンであると私は考える。

ところが奇妙なことに、いまの日本の画壇を見ると、だれにも頼まれもしないのに、一生懸命に職人芸を擬態したような絵ばかりだ。

じっさいに注文主がいれば、かえってその枠の中で自分を生かしたり、逆手をつかったり、そうとう大胆なこともできるのだが、ただ頭で想像するだけの架空の注文主に合わせようとするものだから、こうやったら嫌われるんじゃないか、あんまりどぎつくちゃいけないだろう、おとなしすぎて目立たなくちゃ困る、流行に遅れちゃたいへんだ……。あらゆることに気がねして、最大限度の臆病になってしまう。バカげた話だ。

そしていずれも、ちょっとシャレた、気どったような、10点満点なら7点か8点の無難

パリ時代の作品《リボンの祭り》(1935)。戦災で焼失した。

な絵ばかり。とことんまで突きぬけて野放図《のほうず》な、箸にも棒にもかからないという真に芸術的な作品は見たことがない。みんな御丁寧に自分のほうから箸にも棒にもかかっちゃう。そのつまらなさ。

職人根性、芸人根性がぬけきっていないからだ。絵画に限った話ではない。文学でも、演劇でも、音楽でも、あらゆるところにそれが見られる。

ツボとかサワリということをご存じだろうか。鑑賞者がこうきてほしいと思うところで、ちゃんとその手を打つ。ドラマが高潮してきて、ツボのところにくる、お客さんはもう次にくるものを待ちかまえている。その期待どおりに、ピタリとくると、じつにうっとりとする。

つまり演じるほうと観るほう、双方の暗黙の約束で、あてはまるべきところにあてはまる、それがツボ、サワリだ。どういうことをやればうけるか、もてるか、定石は決まっている。そういうものになずんで、うまく合わせていく職人芸であり、それが巧みなのが名人なのだ。

お客さんのほうは、こういけばこうくるという、決まり決まりにはまって狂わない、注文どおりにいくことがたのしいので、間がズレたり、型が崩れたり、ガタピシしたのではちっともおもしろくない、下手だということになる。

よく「味がある」などというけれど、味わうというのは、以前に経験があって、それが何度も何度も繰り返された上での話だ。ぜんぜん味わったことのないものは味にならない。

だから、もし自分の作品が人に味わわれたり、好かれたり、愛されたりするようだったら、ハテ、俺は知らず知らずのうちに職人根性を身につけた芸人になって、ツボやサワリの手でいってるんじゃないか、と疑ってみたほうがいい。

この職人根性というものは、芸術の歴史にとってながい伝統なので、作家の側にも鑑賞するほうにも深くしみついている。

絵画でも、小説でも、映画でも、ほんとうにやりきれない気分だ。とにかく、味わわれたい、好かれたい、わかってもらいたいとしなをつくってウインクしてるような芸術ばかり。鑑賞者と作品とが寄りかかりあって、互いに堕落させあって成立しているのが日本における現代芸術なのだ。

そういう一般の気分に対して、私は徹底的に味を否定する。描いていて味が出そうになったら切り捨て、ぶっこわし、徹底的に味もそっけもない絵をつくりたい。

好かれたくない、ほめられたくない、味わってなんかもらいたくない。

それを前提に仕事をしている。しょっちゅう鑑賞者を蹴とばしている。観るほうもこちらを蹴とばして結構だ、というつもりで。

他に対して非情な対決をつきつける、それが芸術だと思うし、芸術家の役割だと思う。

人間的生きがいを回復するための「ノー」

この問題を突っ込んでいくために、芸術の根源にさかのぼって考えてみよう。

芸術のもっとも古い、プリミティヴな形は、旧・中石器時代頃の小さい土偶とか、洞穴の中に描いてある岩絵、壁画などだ。

なぜ原始の人間がそんなものをつくったのかはよくわからないが、呪術的な要素が非常に強いのではないかとされている。

岩壁に動物の絵が描いてある。それは動物を捕らえるための呪《まじな》いだろう。

その他、原始的な舞踊や劇にしても、歌でも、彫刻でも、すべて呪術的だ。それらは味わわれたり愛されたり、ほめられたりするためのものではなく、生活の必要品としてつくられた。つまり神秘的役割をもって生産に直結していた。

そういう未分化の状態における芸術、その神秘性は、人間本能に直接かかわってくる、と同時に非常に大きな社会的意味を持っている。

もうちょっと進んだ段階では、シャーマニズムといって、シャーマン（巫子《みこ》）という存在が社会の要になっていろいろな行事をつかさどる。シャーマンは死の世界と交通する力を持っている。ふだんは忌み嫌われるあやしげな存在だが、祭りや病気をなおす儀式になると、とたんに神格化して、非常に強力な力を社会に及ぼす。

いろんなシャーマンがいるが、北方のシャーマンは太鼓をたたく。民衆はその音と呪文で、次第に集団的に催眠術をかけられたようになり、一種の入神《にゅうしん》状態になる。そういう全体の動きをぐっとつかまえて、集団的恍惚《こうこつ》の状態をひきおこすポイントになる、それがシャーマンだ。

今日においても、こういう役割が芸術家に与えられてはいないか。私はそう考えるのだ。ノーマルな社会がある。その日常性、社会的基準や常識に対して、まるっきり正反対な、渾沌的なもの、根源的な、生命の奥にある神秘みたいなものを逆につきつけて、ノーマルでない非常な事態をつくりあげる。

日常生活の惰性に埋没し、失われた人間の根本的感動をよびさまし、生命の充実感、生きがいを集団自体に与える。それが芸術家の役割だと思う。

その意味で、今日でも芸術家は呪術師だといっていい。合理主義、科学主義の時代になって、人工衛星が飛び、ますます足下が空虚になっていく時代にこそ、かえってこういう芸術家の役割は深くて重大だ。それはすなわち、現存する社会に対して、激しくノーというカードを投げつけることである。

イエスイエスといっていれば、皆も安心するだろうし、受けいれられ、ほめられ、好かれるだろうが、ノーというカードを投げたとたんに、それは魔術的な意味を持つ。ツボとか味とか、約束ずみのなれあいのようなものだけで安心している保守的な世界にたいしてはもちろん、革新的な社会でも、それがどんな正しい方向に向かっていても、それにたいするネガティヴな、否定的な発言がなければならない。

どんな理想的な社会になっても、生がある限り、矛盾はかならずあるにちがいないのだ。あくまでもノーという切り札をつきつける、しかもデカダンになるのではなく、それによって社会自体がひきしめられ、生きがいを感じて高揚《こうよう》し、促進されていく。そのためにもっとも有効なポイントを打っていくことが芸術家の任務だと思うのだ。

反動派でも進歩派でも、現実社会においては芸術を自分の都合のよいようにしか解釈しない。だからこそ、そのなかで断固として芸術家はノーといわなければいけない。絶望的に、非妥協的に。

忌み嫌われながら、かつて呪術師の果たしたような役割を果たす。今日空虚になっている根源的な感動をよびさまし、人間的生きがいを回復するために。

第3章

ただ衝動がある、手段はなんでもいい

芸術はなぜ存在するのか

絵画とはなんであるか。

今日、一般に「絵画」という名目で疑いもせず扱ったり仕事したりしているもの。卑近な言い方をすれば、額縁入りの油絵のように展覧会に出品され、画商の取り扱い品目になっているもの。——それはいったいなんだろうか。

だれでも、西洋古典、ルネッサンス、ヴェラスケスからクールベ、ルノアール、セザンヌ、ピカソ、マティス等々、漠然《ばくぜん》と美術史を頭において、「絵」というイメージをつくっている。

もちろん絵画という観念は歴史を通じて捉えなければならないものではあるが、しかしまたそれは歴史をとおして一定していたわけではない。時代時代にそれ以前の形式を否定し、打ち破りながら、つまりアンチテーゼを打ち出しながら、社会的・歴史的な条件に応じて発達し、変貌してきた。

したがって、形式からよりも、歴史的・社会的に絵画の果たした、またこれから果たす役割に焦点をしぼって考えなければ、問題の本質をつかまえることはできない。

たとえばヴェラスケスはどんな構図を使ったとか、グレコのタッチはどうだったとか、印象派の色彩は……、などという技法の問題はひとまず切り捨て、そういう時代に絵画はいったいどのようなレーゾンデートル（存在理由）を持っていたかということを考えてみる必要がある。

そういうポイントから今日の絵画を見れば、それがいままでとはちがって、さらにラジカルに新しい次元に立たされていることがわかるだろう。

これまでの世界では、絵画はイメージをとおしてのコミュニケーションのもっとも有力な手段だった。絵画以外にそういう役割を果たすものが少なかった時代、その存在理由は大きかった。

しかし今日では事情がまったくちがう。一般大衆のひろい社会生活の中に、いわゆる絵画は直接的な働きを失っている。生活のなかの生きたイメージは、環境の装飾を除けば、新聞、雑誌等のグラフィックや、映画、テレビによって占められている。それらのマスメディアによって、かつての絵画の役割の大部分は肩がわりされているのである。

なるほど、いわゆる純粋絵画も展覧会などの機会に、その消息を申し訳だけジャーナリズムの一端に紹介されるが、それは慣習にすぎない。なんら本質的ではない。生活のなかに生き、生活自体を動かしていくイメージは、まったく別のところにあるのだ。

したがって、絵画は一般の社会生活から切り離されて浮きあがり、ますます画壇的に、展覧会、美術批評、画商、コレクターという界隈だけの事件になってしまう。その狭い世界の中で、売り絵ともいえず、また実用品でもない、かといってそれほど純粋でもない、展覧会効果だけを狙っているような空虚な作品の氾濫《はんらん》。

画家たちはその無意味を十分知っていながら、空回《からまわ》りしている。繰り返して言うが、今日、絵画は一般社会の現実から絶望的に浮いてしまっているのだ。

まず「絵画」と呼ばれていままで疑われもしなかったおざなりの概念を、ここで御破算にしなければ問題は発展しない。絵というものの存在理由、その本質を見極める。そしてはじめて絵画の技術の問題が再検討されるべきなのである。

現在ふり回されている技法論――マチエールがどうだとか、影のつけ方だとか、色調のバランス、タッチの程のよさだとかいう、いわば末端のリファインにどれほどの意味があるだろうか。

もっと緊急な、根本的な問題――徹底的に新しい次元で「絵画」の場を再発見しなければならない。もしそれができないとすれば、いわゆる絵画はいよいよその存在理由を失って、しまいには単なる趣味、お道楽として刺繍《ししゅう》、バラづくり、釣りなどのように、生活の一隅にわずかに残っていくだけになってしまうだろう。

激しい時代の移り変わりを予感して、かつてダダもシュルレアリスムも、抽象芸術も、なんらかの形で新しい問題提起にとり組んだ。それはとうぜん技術の変革を意味した。いささか中途で足踏みした観があるが、しかしバトンはわれわれに引きつがれている。

ところで、とかく新しい社会に応じた新しい絵画などというと、新奇な材料を発見したり、また科学技術をとり入れて画面を処理することだとかいうふうに考えやすい。しかしそういう近代主義的な適応は、本質的にはたいした意味はないと思う。

たとえば光で絵画を描いたり、高度な製図機械を発明して、それが超人間的な絵を描くというような可能性が出てきたとする。もしそこに純粋な絵画的感動が現出するとしても、それが純粋であればあるほど、かえってエモーションは端的であり、プリミティヴな衝動に近くなるだろう。いまから何万年前の、石器時代の洞窟《どうくつ》画《が》から受けるものと、人間的感動においておそらく同質であるにちがいないのだ。

まったく芸術の感動というものは、もっとも原始的な手段・技術によって十分に打ち出される。そのほうがかえって純粋であるとさえいえるのだ。したがって、時代に応じて絵画の技法は永遠に変化していくだろうが、それによってかならずしも純粋化されたり、高められるということにはならない。

内容は内ではなく外にある？

新しい技術の発展が必要だといってみたり、技法の発展なんてあり得ないといったり、私の話は一見矛盾しているように見られるかもしれないが、芸術における感動というものは、本質的には、石っころで地面に描く程度の、最低の手段で十分に果たされるということなのだ。

だから、われわれは新しい絵画の創造にあたって、やたらに表現形式、技法などにとらわれてはならない。近ごろはだれでも、流行の抽象形態にしてみたり、急に絵具をはねとばしたり、垂らしたり、ひっかいたりしている。

それはいい。しかし、表現方法を新しくすることによって新しくなったつもりでいるのは、まったくナンセンスだ。

むしろ純粋に内容のほうに問題をぶつけていくべきだ。古い観念が御破算になれば、それに附随していた技法もとうぜん否定され、のり超えられるからである。

「形式・技法→新しい内容」というスジはまちがいだ。「内容→形式・技法」こそ正しい方向である。そうでないと、一見新しかったり、シャレたようでいて、意味のないモダニズムに陥《おちい》ってしまう。

ところで私が内容といったのは、とかく誤って考えられやすいのだが、作品の内部とか、作家個人の内的世界、精神のドラマだけを意味しているのではない。逆にそれと対決する外の世界、社会的な諸条件、そしてその作品が現実的に社会に及ぼす反響、その働きかけのほうを言いたいのだ。つまり内容は内にあるのではなくて、むしろそういう外にある、といささか逆説めいているが、それが真理だ。

社会に対する働きかけ、というのは一言でいえば時代と対決し、社会と対決していくこと。今日、多くの絵画が社会的諸条件にたいしてなんら矛盾を感じていない。

絵描きたちは社会の要求に応じて描いているつもりかもしれないが、それは社会といってもごく一部の愛好家の要求に応じているだけであって、たとえば建具屋が戸、障子や襖《ふすま》をお得意様の注文どおりにつくって納めるのと少しも変わらない。なるほど世の中のお役には立っているかもしれない。しかしそれが社会を動かし、歴史の原動力になるとは考えられない。

社会的、歴史的な任務、つまり芸術の本質を見失って、自分の狭い世界だけに閉じこもり、それが純粋であるように錯覚して、ただワザだけをみがいている、そんな職人がなんと多いことだろう。

芸術の働きはただ単純に役に立つなんてものではない。もっと直接、間接に、世の中に影響を与えていくことだ。それが美意識という、感覚から訴えかけることもあるかもしれない。

だが、美という役割ばかりではおさまらない。また「美」といえば、ただ耽美的《たんびてき》なように考えるのが普通だが、美の中には反美学的要素、たとえば醜悪《しゅうあく》、恐怖、戦慄、滑稽《こっけい》、脅かすようなものだってある。いや、かえってそういうものだと私は主張する。

それが陶酔というよりも、逆にふれる人々を積極的に覚醒させる。したがって絵画でありながら、いわゆる絵画の枠を外れて働きかけていくという、きわめて行動的なものでもあるのだ。

いささかも趣味的になってはならない。もっとも効果的に、本質的に社会に対立する、その方法を見定めることこそ芸術の技術である。とうぜん、社会の一定の要素にたいしては、不快感、嫌悪感を与えるだろう。

それでかまわない。絶対的な敵を持ち、絶対的な味方を持つ、それによって歴史を動かしていく、というような内容を伴った技術を、もっとも聡明《そうめい》な手段で勝ちとらなければならない。

絵画の枠を外れて働きかける作品は、すでにそのなかに枠の外にあるひろい問題をも含んでいることを前提にしているはずだ。いわば画面のなかに、全人間的な活動要素が凝縮されている。

ならば、絵画の技術というものは、単に線を引いたり、絵具を塗る、人々をうっとりさせるといったことではなくて、その根本に、世に処して、あらゆる角度から対決するという、叡智《えいち》と鍛錬《たんれん》がなければならない。

それがいわゆる「絵」の要素ではないとしても、それはどのようなきっかけを捉えてでも飛び出す積極的な気配にあふれている。つまりそれらのエネルギーが、たまたまひとつの枠をもうけ、絵画という手段をとったにすぎないというべきである。

各自が自分のポジションにおいて、それぞれもっとも効果的に社会に問題をぶつけ、働きかけること以外に芸術の道はない。そこにおのずと独自の表現、新しい芸術が生まれてくるのである。

ただ衝動がある、だからあらゆることをやる

私が他の絵描きとちがうだろうと思うのは、だれにでも自然にそなわっている、ただ描きたいという衝動、それがないことである。

「こういうもの」を描きたい、描くべきだ、という具体的な情熱がおこるまでは、私は絵描きではない。

私の内におこる情熱は、絵という形をとることもあるけれど、そうじゃないことも多い。芸術の衝動がある、表現はなんでもいいはずだ。

だからあらゆることを私はやる。けっして器用だから、才があるから、ではない。なにか内からの情熱が勝手にはけ口をつくって飛び出してくる。

それらのすべてにはおなじスジがとおっていて、気まぐれとかお道楽というものは微塵もないつもりだ。たとえそれが遊びごと、横道のように見えていても。

私は絵をつくろうとは絶対にしない。つくる必要はないのだ。

「こういうもの」を表現したい、という最初の衝動がある。

描きたいという衝動じゃない。「こういうもの」を、である。それは夜ベッドのなかで、

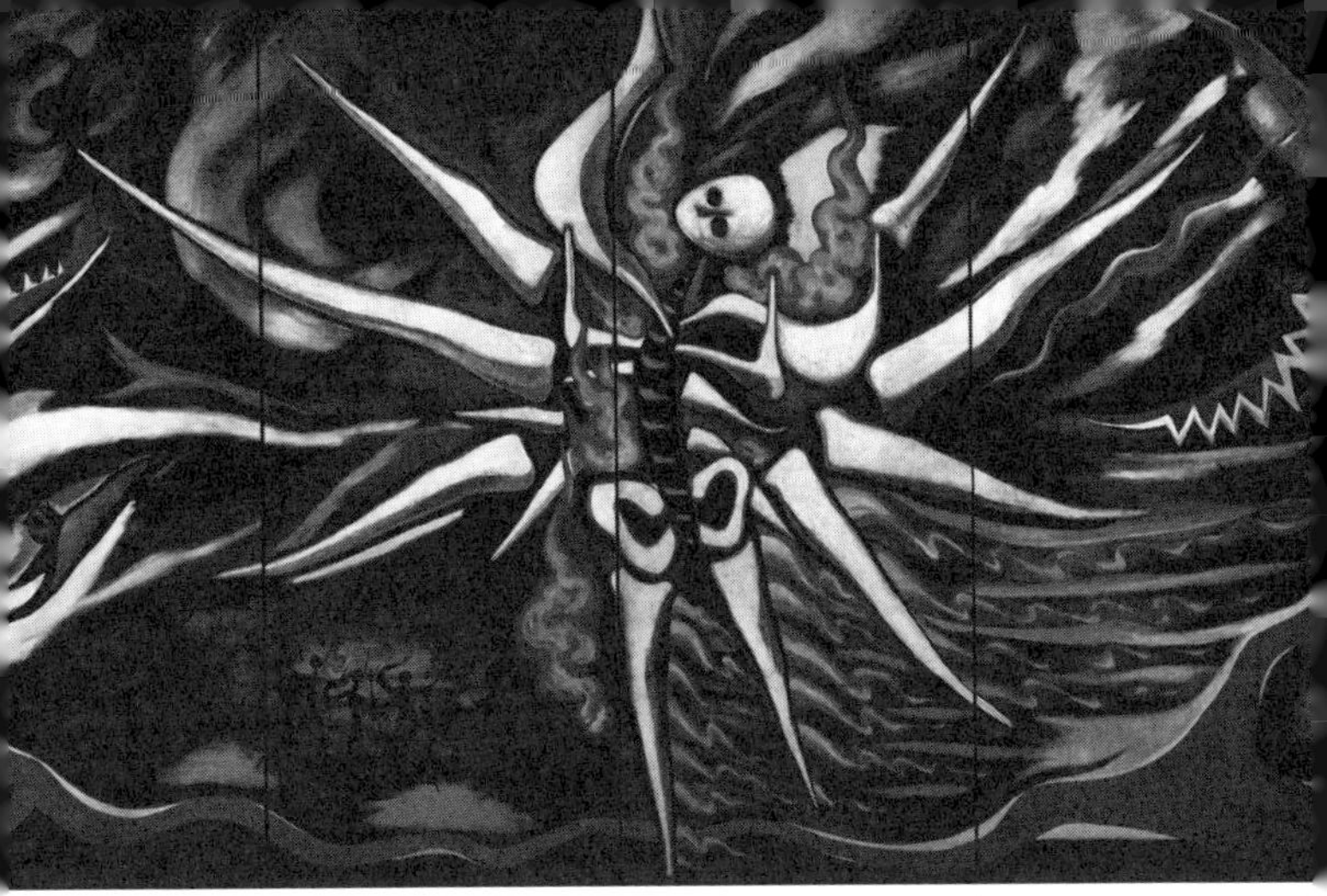

《明日の神話》(1969) 中央に描かれた骸骨。核に焼かれて燃え上がっている。

最初に描いたデッサンの段階で、基本的な構成要素がすべて揃っている。
描きたいと思ったとき、太郎の頭のなかには完成形がイメージされているのだ。

1967年に描かれた最初の木炭デッサン。早い筆致で一気に描き上げている。

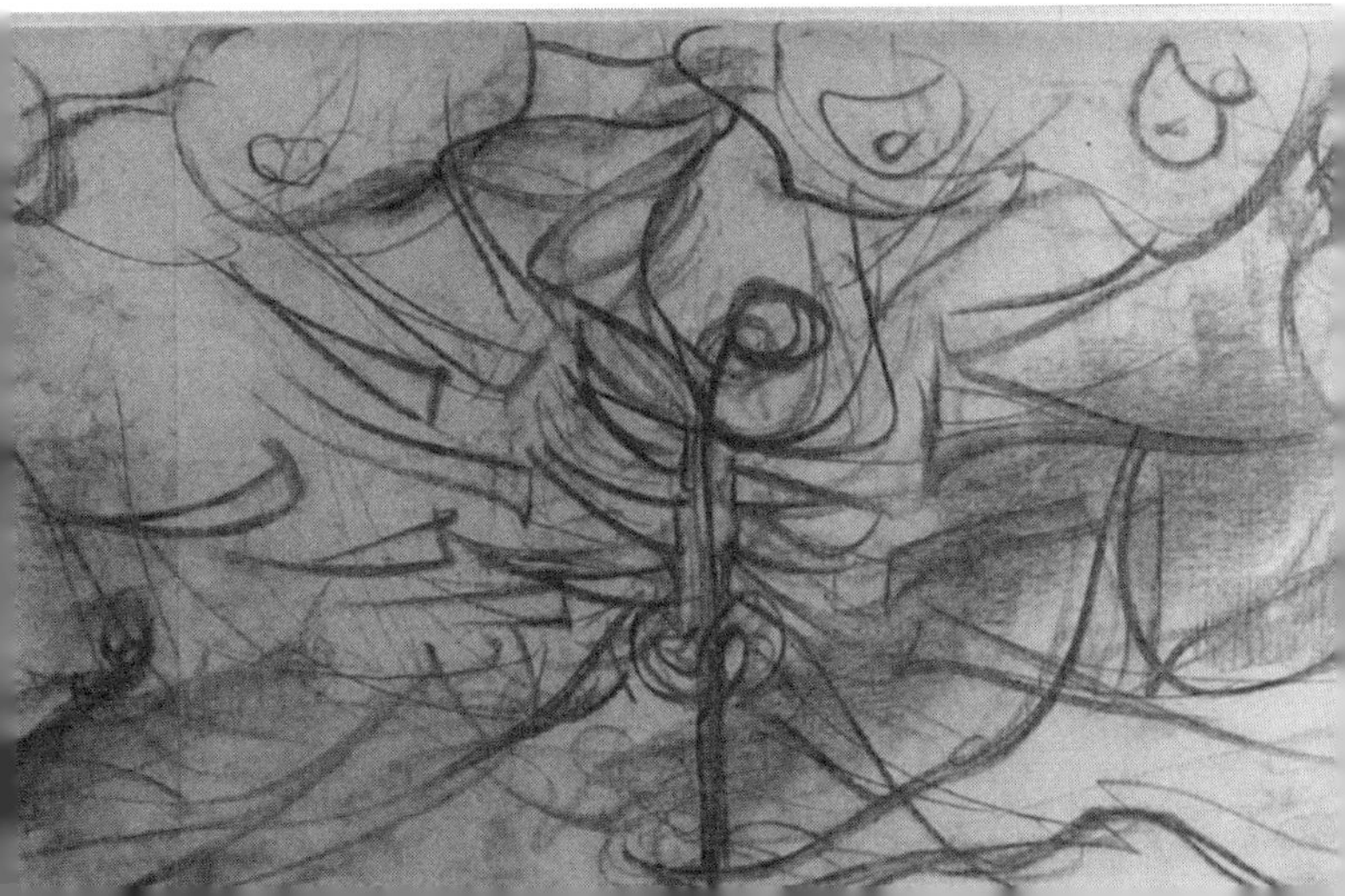

あるいは道を歩きながら、原稿を書きながら、フッと心胆《しんたん》をかすめて生まれる。

そうすると、それを具体化したい情熱がおこる。とうぜんデッサンする。自分の内にあるものを、早急に外に投げ出してしまいたいと焦る。私はたいへん気が短いのだ。

荒っぽく鉛筆や、墨で、なんべんもなんべんも自分に問うてみる。「そういうもの」をたしかめる。

さらに正確にする。何枚目かに、「これだ！」と思う。すると、大きさ、つまり規模が、はっきりとわかる。60号、100号、あるいは200号の大きさ。それにははっきりした規模がある。

画面を占める色、雰囲気が明確に頭に浮かぶ。

だが、大きなキャンバスにいきなりぶつけては、かえって最初のモチーフがとまどい、ぶちこわされる恐れがある。そのときはじめて慎重になる。まず自分の納得いくもの、近似値の設計図を小さい画面にたしかめてみる。

ときにはその画面をとことんまで突っ込むこともあるが、ポイントがつかめたら、たとえ画面に2、3本の線しか引けてなくても捨ててしまい、新しく大きな画面にとり組む。

展開してみると、まったく新しい事態、予想外のことがもちろん出てくる。ひどく苦労することがある。

だが経験からすれば、苦労した作品より、ひとりでにどんどん進んでできてしまったもののほうが、いつでもいい。最初の動機が新鮮に最後まで保たれているときが、いちばん苦労しないで描けるときであり、作者もまたみずみずしい。

途中でふみ迷って、モチーフを見失う場合もある。そんなときは、そのまま捨ててしまい、半年でも1年でも放っておく。ヒョッと、最初の衝動とまったくおなじように、モチーフがよみがえってくる。新鮮にそこから仕事がはじまる。

芸術とはエモーションの問題だ

つまり私にとっては、衝動を実現するということが問題なのであって、結果はじつは知ったことじゃない。美しかろうが美しくなかろうが、うまかろうがまずかろうが、他人がそう判断しようがしまいが、かまわない。芸術ってのは画面じゃなくて、そういうエモーションの問題だけだと思うからだ。

ひとのために美しいもの（他人はそうとってくれるかどうかははなはだ疑問だが）を描くというよりも、生命のしるしを、自分にたしかめる。あたかも重畳《ちょうじょう》とした山嶺《さんれい》を幾つも幾つも自分の足下から全身にたしかめ、ぶつけながら、走破してゆく気持ちとおなじだ。

みんなの心、そして私の心も傷ついている。われわれの「幸福な自然」の心をゆがめるのは、原爆だとか、戦争の脅威だけではない。この急激に変革していく時代のロマンティシズムは、いつだって純粋な心を傷つけ、ゆがめる。純粋であればあるほど。ゆがめられたまま、しかしますます純粋である。

今日の芸術は、均衡と不均衡とのあやしい絡みあいだ。そういう現実がまるでないかのように、きれいな花や女の裸を仕上げている人は不思議だ。職能的絵描きさん。

少なくとも私は一度も絵描きであろうと思ったことはない。芸術家が芸術家でなくて、今日いかなる生きがいがあるだろうか。

第4章

つくらなくても芸術家だ!

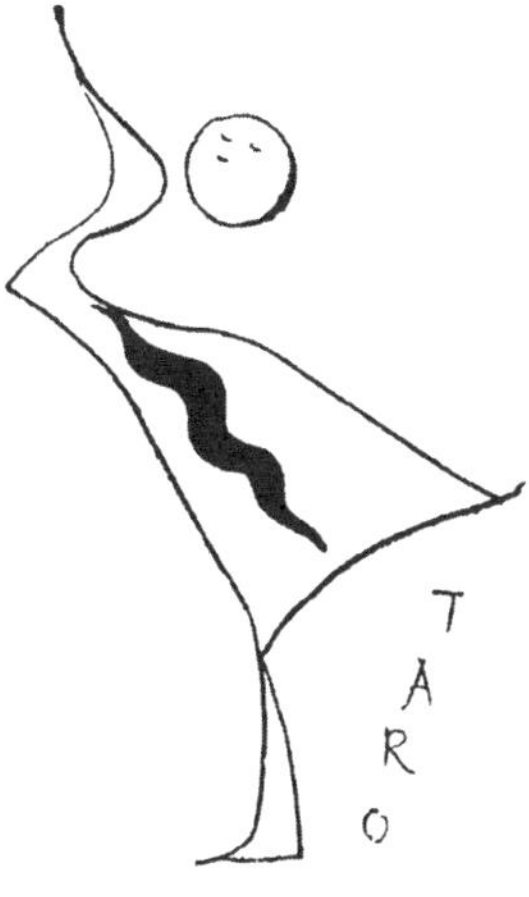

つくることと味わうこと

つくること、味わうこと。それは生活自体の問題だ。

生活というと、働いてその日その日をなんとか食いつなぎ、余暇《よか》には適当な娯楽、といってもせいぜい映画や野球の試合を観に行く、あるいはハイキングのようなレクリエーションをするぐらい。翌日からは、また精を出して食うために働く。それがまあ普通、人間なみの生活だというふうに考えている。

一般には、芸術をつくったり味わったりするのは特別なことであり、贅沢《ぜいたく》なものだとさえ思われているようだ。

それも、展覧会を見に行くとか、音楽会に行く、つまり芸術鑑賞のほうならまあまあだが、自分自身でつくるなんて大それたことだと、はじめっから投げ出してしまっている人が多い。

つくるということは、人間本来の欲望である。

なるほど人々はなんらかの形で社会生産のために毎日働いている。しかしいったい、つくっているという充実したよろこびがあるだろうか。正直なところ、しかたなく働かされているという気分だろう。つまり自分の生活と働くことの関係、つくるという初源的なよろこびと、実際の働きとのくいちがいからくる一種の絶望感、それが現代の不幸の意識になっている。

近代社会が、生産力の拡大とともにますます分化され、社会的生産がかならずしも自分本来の創造欲とは一致しない。逆に、ただ生活のために義務づけられて、本意、不本意にかかわらず、ひとつの機械のパーツ、歯車のように、目的を見失いながら、ただグルグルまわって働かなければならない。一日のながい時間を一定の単一な仕事に制約されている。生産のために働きつづけながら、しかし、創造欲は逆におさえつけられている。そういう皮肉な状態だ。

義務づけられた生活の合間をぬって、創造する欲望を噴出させたいという気持ちはとうぜんあるはずだが、しかし、おさえられっぱなしになって、その気力を失っている人間は多い。それがほとんどだといってもいいくらいだ。

一方、だんだん社会の生産性が高まって、生活に余裕が出てくる。労働時間は相対的に短縮され、余暇が次第に拡大されていく。フトコロ具合も楽になる。ところがそうなると、多くの人はその与えられた時間の余裕をどう処理したらいいか、逆にわからなくなってくる。もっとも自由な自分の時間をかえってもてあまし、ひどく不安定な気分でいるのが実状のようだ。

われわれの生活をふりかえってみても、映画やテレビもあるし、野球のナイター、プロレス、ボクシング、街には飲み屋、パチンコ屋が軒を並べ、遊ぶ手段には少しも事欠かない。ますますそういう手段、施設は増える一方だ。だが増えれば増えるほど、逆にますます遊ぶ人たちの気分はむなしくなってくるという奇妙な事実。

……週刊誌も読んでしまったし、テレビも見飽きた。だれか遊びに来ないかなあ。家にいてもしようがないから映画でも観ようか。飲みにでも出かけようか。退屈だからマージャンでもやろうか。いろいろと時間つぶしに苦労して、ほんとうにくつろぎ、たのしみ、充実していなければならないはずの時間が、かえって重荷みたいだという皮肉な結果になってしまう。

社会生活のなかで、ことに生産部面では、自発性を失い、おさえられている創造欲がなんとかして噴出しようとする。そういう気持ちはだれにもあるにもかかわらず、その手段が見つからない。

自分の自由な余暇でさえ、充実しない。そのために非常にニヒリスティックな気分になっている。

生きるためにみんな生産する。つまり仕事をするわけだが、充実していなければほんとうの仕事とはいえない。逆にレクリエーションについてもおなじことがいえる。遊ぶにしても、たのしむにしても、ほんとうにたのしめた、味わえたという全身的な充実感、生きがいの手ごたえがなければ、ほんとうの意味のレクリエーション、つまりエネルギーの蓄積、再生産としてのレクリエーションは成り立たない。

だから、どんなに遊んでも、そのときは結構たのしんでいるようでも、なにか空虚なのだ。

自分の生命からあふれ出てくる本然《ほんぜん》のよろこびがなければ、満足できない。自分では知らなくても、心の底でとうぜん欲求されているし、そこにはほんとうに健全な生活のたのしみというものが、自然にあふれ出てくるはずなのだ。

受け身で鑑賞してはいけない

ではいったい、どのようにたのしさ、よろこびをあふれさせるか。

繰り返して言うが、手段、施設、そのヴァリエーションは驚異的に膨大になっているのに、じつは現代人はほんとうにたのしむことを知らないのではないか。

卑近な問題をとりあげてみよう。たとえば読書したり、絵を描いたり、音楽を聴いたり、芝居や映画を観る、その他スポーツでもなんでもいい。そういう場合、考えてみると、二重の心理状態に陥っている。

それはジレンマであり、迷いである。自分では迷っていないと思っていても、たいていの人は自分で気がつかずに迷っている。

たとえば読書にしても、ただ本を読むだけでは読書とはいえない。それでは本の上に眼を走らせているだけであって、ほんとうの読書は、内容に対する徹底的な批判、具体的な問題で、自分はそれについてどういう考えを持つか、どういうふうに対処するか、したがって書物にふれることによって、人間的変貌、世界観の確立という、自分にとって新しい世界をつくりあげるという前提がなければならない。

絵画を観る場合でも、ただ「きれいね」とか、「たのしいわね」という単なる受け身の鑑賞のしかたでは、生活の全体はやはり満たされない。また、自分もあんなふうに描きたい、と思う。しかし「描けたらいいわね」というところで止まってしまうのも、けっして充実した鑑賞とはいえない。

ほんとうに描きたいのに描かずに済ましてしまう。そのあとに、自分でははっきり気がつかなくても、なんとなく味気《あじけ》ない気分が残る。そういうことが積もり積もると、生活自体がひどく消極的で空虚なものになってくる。しかもたいていは、その空虚さを自分自身でさえ気がつかずにいるものなのだ。

もし、「あたしもあんなふうに描けたらいいわね」と思ったら、描いてみるべきだ。

絵というものは、たとえ鑑賞するときでも、単に味わうだけでなくて、自分が描いているという積極的な気構えでぶつかると、それによって、芸術の鑑賞は創造的な、もっと生活的な幅と意味を持ってくる。

わからなくても心配するな

よく絵を見ていて「いいわねえ、あたしにはわからないけれど」という人がいる。わからないけれど好きという言い方は、絵画や音楽の場合、非常によく聞く。謙虚な意味でいうときもあるし、てらいでいう場合もあるが、こんな鑑賞法はともに無意味だ。

「いい」と言ったとき、その作品はそう思ったその人のために存在しているのであって、作品の意味は、「いい」と思ったその分量だけ、たしかにそこにある。あなたはなにもそ

代表作《重工業》(1949)。太郎が1948年に発表した芸術思想「対極主義」を体現するものだ。

れ以外の「わからない」部分のことなど心配する必要はない。

じじつ、わからないわからないと言いながら、気になり、ひっかかっている。ほんとうにわからないものならば、気になるはずがない。そういう時はまったく無関心で、たとえ眼に入っていても認識されないだろう。

終戦後、一時、ひどく煙草が欠乏した時代があった。愛煙家は煙草に飢えて、いまではとうてい考えられないことだが、立派な紳士までが道端でモクを拾って吸ったものだ。そうなると、普通だったら絶対に眼につかないようなちっぽけな吸殻《すいがら》などが、道いっぱいにひろがって見えたりする。いまならごみ屑《くず》以下で、眼に入っても気がつきもしないし、じっさい見てもいない。

例は煙草に限らない。酒飲みにとっては、灯《ひ》ともしごろのバーの看板はいやに気になるし、女性は美しい衣装やアクセサリーを売っている店がパッと眼に飛びこんでくるという。

近代絵画がわからないわからないと言いながら気になるのは、すでにそこからなにかを感じとっているから。言い換えれば、ある意味で、もうわかっている。

関心を持つのは、すでにこちらが共感し、受け入れるものがあらかじめそなわっているということであり、また疑問が成り立つためには、なんらかの形でそれをつかんでいることが前提になる。つまり、わからないと思いこんでいるだけなのだ。

裸でぶつかるということ

漠然とはしていても、心の底ではすでに答えが出ている。だからこそ、かえって疑問が起こる。

ただ、それがいままでの絵のように、富士山、花、肖像といった、レッテルつき、説明つきではないため、人にも、自分自身にも、決まりのついた言葉で説明することができない。そこで、わからないという言葉がつい口に出てしまう。

そもそも芸術を鑑賞するのに、いったい、どういう説明が要《い》るというのだろう。感じとる以外、まったく意味はない。山水や美人や林檎でないと納得できないなどというのは、芸術とは無関係の問題だ。もっと身近な例を考えればよくわかる。

まず女性が身につけるアクセサリーとか、着物の柄、カーテンや包み紙の模様など、生活的なあらゆるものが、近ごろでは非常に近代化していることはご存じのとおりだ。新しい芸術とまったく似かよった形式である。

これはあきらかに近代芸術の影響を受けているのだが、こういうものにたいしては、みんな少しも疑いなく、安心して身につけ、生活の中にとり入れている。むしろ今日では、大仰《おおぎょう》に蘭の花が刺繡してあったり、竜が染めぬかれているといった模様は、どうも重いし、古くさくて、気恥ずかしい。

それよりも、説明のしようもない色・形・線が、近代的に組み合わされているもののほうをよろこぶ。やはり新しいデザインでなければピンとこないのだ。しかもそのなかで、きびしいほど正しく、良し悪しを見きわめ、選択している。つまり近代芸術や生活的な応用の面では、よくわかり、愛し、立派にこなしているわけだ。

ところが画布《キャンバス》の上のことになり、額縁に入った「芸術作品」として示されたとたん、わからない、とサジを投げてしまう。絵画という型にこだわり、なにか特別高級なものであるかのように、生活と切り離して考える。

今日の芸術は、昔ふうの書画骨董の道などのように、教養をつんだり、年功を経なければ到達できないという、しちめんどうくさいものではない。人間がむしろ単純になり、純粋に、無邪気になればなるほど、かえってほんとうの理解力が出てくる。

そもそも、学問などとちがって、知識を積み重ね、頭で考えてわかろうとしてもあまり意味がない。近代芸術は総体にかなり理屈っぽく、それぞれむずかしい理論を持っているけれど、それを知ることよりは、まず裸でぶつかってみることのほうが大事だ。

なにより古くさい常識によって眼や精神が濁らされてはならない。本来的で原始的なよろこび、単純な人間的感動をとりもどし、こどものように素直に、画面から受けるありのままの感動を体験することが、正しい芸術鑑賞のありようだ。

どうして抽象画が生まれたのか

これだけでは雲をつかむようで頼りないと思う人がいるかもしれない。そこで、なにゆえにそのような説明の必要のない純粋な絵画が今日生まれてきたのか、そのすじ道に簡単にふれておこう。

近代絵画の父といわれる巨匠、セザンヌの名はもちろんご存じだろう。19世紀末から20世紀のはじめにかけて、新しい芸術を創造した天才だ。

だがその作品は、静物画なら壺はひんまがり、テーブルはゆがみ、林檎はまるで腐ったようで、とうてい食欲をそそられるような代物ではない。全体が美しい色調、ハーモニーをたたえてはいるけれど、およそほんものらしい実感がないのだ。

セザンヌまでの絵は、女を描けばまるで生きているように、ふくよかな肌のあたたかみとか、レースの繊細なひだ、絹の光沢など、ほんものそっくりに描き出していた。つまり写真のように、外のものを忠実に写し取ることが絵の役割だった。

だがセザンヌはまるっきりちがう考え方に立っていた。絵には、絵自体の構成、画面の上の秩序というものがある、というのだ。ありのままの自然をそのまま写し取って再現するのではなく、画面そのものを美しくするために、自然をゆがめ、組み立て直し、自由に表現すべきと考えた。

つまりセザンヌの場合は、自然はただ画面構成の手段、口実であるにすぎない。「美しい林檎」を描くのではなくて、その色彩、線、面が画面にどういう位置を占め、構成されるか、つまり「造形性《ぞうけいせい》」の問題が中心になってきたのである。

原物の生きている感じとか、物の質感というようなものは、次第に犠牲にされ、全体の色と形の調和だけが生かされる。画面は次第に抽象化されていった。

このように新しい芸術の方向を発見したセザンヌは、生きている間は一般には認められずに一生を終えたが、彼のきりひらいた新しい考え方は、近代絵画の中心課題として、20世紀の芸術家によってひきつがれた。立体派をはじめとして数々のアヴァンギャルド芸術運動が、彼の主張をさらにおし進め、飛躍的に発展させたのだ。

やがて自然の原形はまったく画面から切り捨てられてしまった。セザンヌの場合はまだ、いくら組み立て直すとか、ゆがめるとかいっても限度があった。いくらなんでも、家の下に空を描くわけにはいかないし、人間を描けば、やっぱり頭は丸く、胴の上につけて描かなければならない、というように制約されていたわけだ。

しかし画面の美そのものを構成するのなら、空の青とか、樹木の緑、林檎の赤でなければいけないという理由はない。自由に、純粋に、赤い丸を描き、緑の三角を描くほうが、はるかにゆたかな組み合わせができ、思いのままの効果、美しさを出せるにちがいない。

こうして抽象画が生まれた。なにが描いてあるのかわからないというのもとうぜんだ。こういう絵は「何々を」描いているわけではないから、説明できるはずがない。めいめいが勝手に、それそのものの美しさを感じとる以外に、見方というものはないのである。

芸術に「専門」はない、人生と同じだ

専門的に眺めたり、聴いたり、味わったりしないと、正しい判断ができないのではないか、つまり芸術は特別な専門家によってだけつくられ、価値が決められるもので、自分たちとは無縁だ、素人はせいぜい外側からこれを眺めてたのしむだけだ、という先入見はま

ちがっている。

かつての社会、とくに封建時代においては、芸術はそれぞれの職能的専門家、職人によってつくられていた。そのなかでも腕のたしかな優れたのが名人であり、そういう名人によって名作がつくられた。

そして、みごとな芸術品は、その時代の特権階級である貴族、権力者だけが身近に鑑賞し、消費した。一般民衆はとうていそんな結構なものにふれることはできない。貴族たちが贅沢をし、たのしむ、そういう消費生活ができるように、朝から晩まで真っ黒になって働いて貢ぎあげた。

とうてい名作を鑑賞したり優れた音楽を聴き、観劇するなどというカネもヒマも権利もなかった。江戸時代に市民階級が興隆《こうりゅう》し、富裕になるにつれて、次第に彼らなりの贅沢ができるようになったものの、一般庶民にはまだ無縁なことがらだ。

ところが、日本の近代化民主化とともに、観たりたのしんだりすることはだれにでも許されるよろこびになった。美術を観たければ展覧会や博物館に行けばいいし、音楽会に行ったり演劇を観たりするのは、けっして贅沢ではない。むしろつつましやかなレクリエーションでさえある。

そのように、観る、味わうほうは、たしかに明るく開放されている。とはいうものの、自分自身で味わうというよりも、専門家の解説や批評を頼りにして、それに安心して寄りかかったり不安になったり——。

また、作品にふれることによって感動するのではなく、教養を身につけるとか、これだけは知っておかなければという、いわば近代主義的コンプレックスや、見栄のような功利的なポイントから鑑賞する。

したがって結果として、——やっぱり私にはほんとうのことはわからない——というナンセンスな絶望感に陥ったり、「裏がえしの虚栄《きょえい》」のポーズになったりしてしまう。

みなさんは、展覧会や音楽会などの芸術鑑賞の場所で、奇妙にあらたまった、重苦しい空気、一種の不潔感のような、なんともいえない気分を感じとられることはないだろうか。

それはまだまだ芸術のつくる・味わうという契機が封建的なアカデミズム、権威主義の暗さからぬけきっていない証拠だ。なるほど日本は戦争に負けて明るく近代民主国家に生まれ変わった。社会制度やその他が一新されたとはいうものの、しかし道徳律や生活感情、その因襲的な気配、古キズはまだなまなましく口をひらいている。

たとえばジーンズをはいて銀座の喫茶店でジャズを聴いたり踊ったりしている人たちの

なかにだって、意外にもそういう道徳感は残っている。あるいはこういう言い方もできるだろう。飛んだりはねたり無軌道なことをやることが、自分自身のなかの、あるいは自分の家庭や生活周辺にあるぬけきれない封建性に対する反抗、ほとんど絶望的な反抗である、と。

なぜ絶望的かというと、それが自覚していない反抗だからだ。だから逆に、この反抗を意識の表面にひき出して、正しい自分の生き方、近代的な生き方を考えることによって、生活のたのしみへの道も開けてくるともいえるだろう。いつまでも無意識のうちにとどめておいてはならない。盲目的な反抗はむしろ暗いデカダンに陥る危険がある。

こうした古い考えが残っているために、絵を観ても、わからないけれどいいとか悪いとか、好きとか嫌いだとかいう。あるいはそんな単純な判断すらもできない。生活的で素直であるべきものを職人的、特殊的なカテゴリーに置き換えて、自分とは無縁だというふうに自動的に考えてしまう。これが今日まだ一般生活にみられる矛盾である。

味わうこと、鑑賞と、つくることを職能的な観点から分離してしまっては芸術の堕落だ。専門家、門外漢、素人なんて区別は現代の芸術にはない。生きることに「専門家」がないのとおなじように。

鑑賞は創造とつながっている

たとえば絵を描くこと、創造するといってもいい、それは人間の本能的な衝動だ。

小さいこどもがやたらに紙や壁に描きまくっている。かけまわって遊ぶ肉体的なよろこびをおさえてまで、じっとして絵を描いていることがある。それを見ても、いかにその欲望が強いかがわかる。だがそのよろこびを小学校の高学年あたりから失いはじめる。

それでも絵を描きたいという人は多い。小学校か中学校の図画の時間にやった以外には描いたこともない。描くよろこびを忘れてしまい、どんなふうにはじめたらいいのかわからない。でも描いてみたい。

ささやかに自分自身でたのしんだり、集まってサークルをつくったり、また研究所に行く。指導を受けようとすると、かならずやらされるのは石膏デッサン、モデルの写生、あるいは静物、風景、つまりは写実のための技法だ。

今日の人たちがなにか描きたいというとき、それは見えているものをそのままに写し取ることではない。それならカラー写真のほうが手っとり早いし、ずっと迫真性がある。自分で描きたい、というのはつまり、なにか外のものではなく内にあるものをあふれ出させたい、表現したいという衝動なのだ。

そのなにかがなんであるか、どういうふうにして引き出せるのか、それが問題であり、いちばんむずかしいポイントだ。そしてじつは、これはいわゆる専門家でも、いや専門家であればあるほど見失いやすい、むしろ絶望的でさえある芸術のポイントなのだ。それはけっして技術だけでは解決できない本質の問題なのである。

ところが「絵」を描くということになると、石膏デッサンだ、花の写生だとわき目もふらない。それにしちめんどうくさい描法の約束ごとがあって、なかなかうまくはいかない。ギクシャクしているうちに描きたいというみずみずしい衝動のほうが消えてしまってイライラするだけ。けっきょく、おもしろくなくなってやめてしまう人が多い。

これは絵の技術についての考え方が、根本的にまちがっている。

端的に言えば、繰り返すが「芸術はうまくあってはいけない、きれいであってはならない、ここちよくあってはならない」ということだ。

芸術が職人的うまさを持っていなければ芸術ではない、という考え方に支配されているからこそ、描いたものが不手際《ふてぎわ》なら、けっしていい気持ちがしないし、そのためにつくる意欲さえ失ってしまう。

こどもの絵はけっしてうまくもなく、きれいでもないにもかかわらず、なにか微笑《ほほえ》ましく、こちらの気持ちを打ってくる。それはこどもが、うまく描いてやろうとか、きれいに描いてみよう、ここちいいものをつくろうなどという意識をもたず、体裁《ていさい》なんて考えないからだ。こどもの素っ裸な心、魂がそのまま出ているからたのしいのだ。

なにもこどもに限ることはない。それはとても人間的な要素を含んでいる。われわれにもそれとおなじ心の状態がある。心のなかには、どんなに年をとり苦労してからでも、こどもがいる。

こだわらない気持ちで描けば、かならずなにかあふれるような、ゆたかで直截的《ちょくせつてき》な生命感が打ち出されるにちがいない。それはとうぜん観るものを同質的にたのしませてくれる。うまくなくても、きれいでなくても、そういうものが生活のなかに入ってくれば、それはゆたかなふくらみとなり、生きがいを感じさせずにはおかない。

観たり味わったりする時間はあるけれど、つくる時間がない。あるいはそれに踏み切る積極性がどうもないという人でも、次のような問題について考えてみてほしい。

それはつくるということと、味わうということ、つまり芸術創造と鑑賞というものは、かならずしも別のことがらではないということである。

たとえば、あなたが一枚の絵を観る。なるほどそこには描かれているいろんな形や色がある。しかしあなたがそれを観ているということは、なんらかの関心をもって接しているのだし、とうぜんよろこびあるいは嫌悪、あるいはもっとほかの感動をもってそれにふれている。

少なくとも積極的な意志をもって観ていることがたしかだとすれば、はたしてあなたは画面の上にある色や形を、写真機のレンズが対象のイメージをそのまま映すように観ているかどうか。考えてみればひどく疑問だ。

あなたは眼に映っているものを観ていると思いながら、じつはあなたの観たいと望んでいるものを、心のなかに見つめているのではないか。

心のなかに自分がつくりあげた画面。

一枚の絵を10人が観た場合、その10人の心の中に映る絵の姿は、それぞれまったく異なる10のイメージになって浮かんでいるとみて支障ない。人によって感激の度合いがちがうし、評価もちがう。おなじように好きだといっても十人十色、その好き方はさまざまだ。

こういうことを考えても、それぞれの心のなかに映っているイメージがどのくらい多種多様であり、それがその人の生活の中に入っている場合、どんなに独特な姿をつくりあげているかがわかるだろう。

つくることだけが創造ではない

ひとつの作品がある。それをつくった人がひとりいる。これはたしかだ。

しかしその作者が勝手につくったひとつの作品から、観る人ごとその数によって、10個、100個、あるいは1万個の作品が、それぞれの心の中に描かれたことになる。その変貌は、観ている人が心の中で、精神の力で変えている。

この、単数でありながら無限の複数であるところに芸術の生命がある。

たとえつまらない作品でも、観た人がすばらしいと感じたら、それはすばらしい。どんなにすばらしい作品でも、つまらないと思ったらつまらない。つまり、ひとつの作品から、すばらしい、つまらない、という2つの面が出てくるのだ。作品自体は少しも変わってはいないのに。

たとえばゴッホが生きているあいだは、一般の大衆にはもちろん、セザンヌのような同時代の大天才にさえも、こんな腐ったような汚い絵はやりきれないといわれた。じっさい当時はそういうふうに見えたのだろう。それが今日はだれにでもケンランたる傑作だといわれている。

ゴッホの作品自体が変貌したわけではない。むしろ色は日が経つにつれてかえってくすんでアセてさえいる。

けっしてゴッホに限らない。受け取る側によって作品の存在の根底から問題がくつがえされてしまう。こうなると作品が傑作だとか駄作だとかいっても、そのようにするのは作家自身ではなく、味わう方の側だ。

そうであるなら、鑑賞するということ、味わうということは、じつは価値を創造することそのものだといえる。もとになるものはだれかがつくったとしても、味わうことによって創造に参加している。

かならずしも自分で筆を握り絵具を塗ったり、楽器をいじったり、あるいは原稿用紙に字を書きなぐったりしなくても、十分に創造の場はある。創造するということは、なにかものをつくることばかりではない。

ただ趣味的に芸術愛好家になるのではなく、もっと積極的に、自信を持ってつくるという感動、それをたしかめること。

つくるということを絵だとか音楽だとかいうカテゴリーにはめ込み、私は詩だ、音楽だ、踊りだ、というふうにワクに入れて考えてしまうのは、職能的な芸術の狭さにとらわれた古い考え方であって、そんなものにこだわって自分を限定し、かえってむずかしくしてしまう必要はない。

絵を描きながら、音楽をやっているかもしれない。音楽を聴きながら、絵筆こそとっていないけれども、絵を描いているのかもしれない。そういう絶対的な創造の意志、感動があるのだ。

さらに自分の生活の上で、その生きがいをどのようにあふれさせるか、自分の充実した生命、エネルギーをどうやって表現していくか。それは実際の形、色、音にならなくても、心のなかですでに創作が行われているのだと考えていい。

つくるよろこびに生命がいきいきと輝いてくればそれで十分。なにも芸術が作品になって商品価値を持たなければならないというバカげたことはない。そんな古い約束でスジを混同してはならない。創られた作品にふれて、自分自身の精神に無限のひろがりとゆたかないろどりをもたせることだって、立派な味わう側の創造なのだ。

あなたはすでに創造している

つまりは自分自身の、いやな言葉だが、人間形成、精神の確立である。自分自身をつくっているのだ。

優れた作品に身も魂もぶつけて、ほんとうに感動したならば、その瞬間からあなたの見る世界は、色、形を変えるだろう。生活が生きがいとなり、いままで見ることのなかった、いままで知ることのなかった姿を発見するだろう。

そう、あなたはすでに創造している。

あなたはだれも持たない独特な審美観と世界観をあなたの内に確立する。それがつくること、あなた自身の力によって創造することでなくて、いったいなんだろう。音楽を聴くときでも、演劇を観るときでも、おなじだ。

とかくつくる能力がないということで自分自身を限定してしまう。

あたしなんかどうせなにもできやしない、おかずをつくって亭主の帰りを待っているだけだ、と生活を閉じこめてしまって、自分をつまらなくしちゃっている女性。こんなのは自分の生命に無用のシワをふやしているようなものだ。

俺なんかただのサラリーマンだと、5時まで机の前でひまつぶしをして、あとは飲み屋で一杯ひっかけてウサばらしをしたり、せいぜいマージャンをやるか、テレビなんかを見て寝てしまう、こんな人生——生活自体が味気ない、ハリがない。

虚無的にエネルギーを浪費し、その結果のむなしさをおおうことができず、ますますニヒリスティックになってしまう。それでは困るのだ。

つくること、味わうこと——つまり創造することは、人間の根源的な情熱だ。

と同時に、瞬間瞬間にハリを失っていく現代生活に、明るい生きがいをもたらす原動力でもある。

第5章

人はどうして芸術に感動するのか？

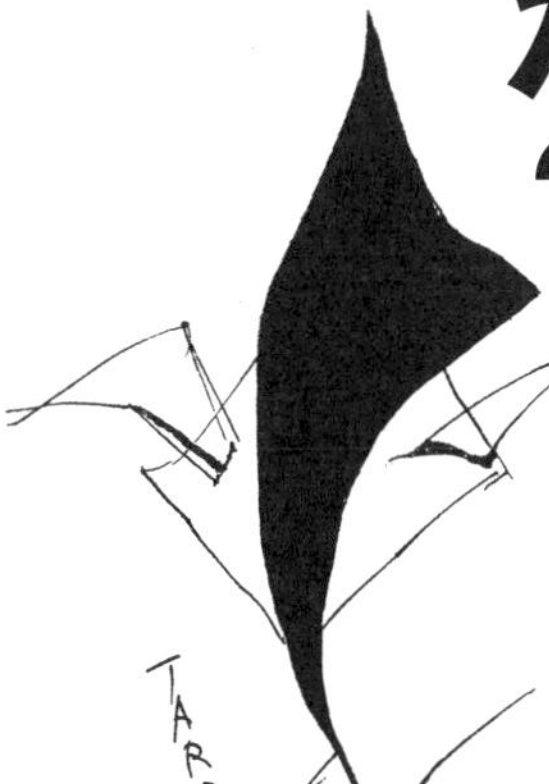

私は絵が嫌いだった

こどもの時分、絵を描くことは好きだったのに、どうしたわけか観ることは嫌いだった。当時、私にとって上野竹の台に開かれた展覧会に連れていかれることぐらい辛いことはなかった。無数の出品画を見て回り、なまなましい色彩や形に、胸を悪くしたり頭痛を覚えたりしたものだ。

母親が私の批判力を試そうとして、どの作品がいちばんよかったかと訊《たず》ねたりすると、こども心に母親をよろこばせるためにと、無理にそのなかから気に入った作品を選ぼうとつとめ、かえって嫌悪と反感に苦しめられた。

こんな性質《たち》であったから、絵画作品の前で感激を受けることも滅多になかった。絵の前で泣ける——そんなことは想像しなかったし、少なくとも私にはあり得ないことだと思っていた。

中学を卒業するとすぐに上野の美術学校に入学した。そして半年後には学校をやめ、両親に連れられてフランスに旅立った。

私たち一家はパリに着くと、5日間一緒に市中見物をした。それが過ぎると両親は新聞社関係の用事で、その頃開催されようとしていた軍縮会議傍聴のため、私をひとりパリに残してロンドンに向けて発《た》っていった。18、19の年若い私は生まれてはじめてたったひとりで異境に取りのこされ、ひしひしと身にくいこむ悲しさに息がつまるようだった。

冬の日であった。私は下宿の女将《おかみ》さんに道を教わって、宿からさほど遠くないルーヴル博物館にはじめて見学に行った。若い私の心を驚嘆させ歓喜させたのは、この宏大《こうだい》な宮殿の中に燦然《さんぜん》とならび飾られた名画の数々であった。ほとんどすべてが日本で幼い時分から複製を見て、憧れていた作品である。

天井の非常に高い最初の画廊には、チシアン、チントレット等が惜気《おしげ》もなくならべてあり、次のルーヴルの中枢部になっている100メートル以上もあろうと思われる長い画廊には、イタリアの古典からはじまり、マンテニア、ダ・ヴィンチ、グレコ、ヴェラスケス、ゴヤ、ルーベンス、レンブラント等の名品が、無数と見えるほどならびかけてある。

この長い画廊の中途にある入口を右に入ると、そこは19世紀の作品の部屋で、クールベの『アトリエ』や、ドラクロアの『サンダナパル』などの大作、おなじドラクロアの『アルジェの女』、アングルの『泉』『トルコ風呂』、ジェリコーの『メデューズ号の筏《いかだ》』、ホイスラー、シャッセリオー、ドーミエなどの作品が陳列してある。

どの絵もすばらしかった。頭が下がった。美しいというより、ひとつひとつの作品の厳《げん》粛《しゅく》さには鬼気が迫り、激しい人間の精魂《せいこん》と労苦は圧倒的である。

意外なのは、日本にいた頃に想像していた西洋画の感じと、これらの絵がまったく違っていることである。どんなになまなましい描き方がしてあっても、まったく嫌味がない。

その日強い感銘を受けた私は、翌日も重ねて見学に行った。想像にあまる大規模なこの美術館の勝手を知らない私は、おなじコースをとって見てまわったが、前日は気がつかなかった、19世紀の画廊をつきぬけた所に、中庭に面したギャラリーがあった。その中央に大きな衝立《ついたて》のようなものが置いてある。何気なしに後《うし》ろにまわってみて、ハッとした。眼のさめるような豊麗《ほうれい》な絵が3枚、光のように私を射た。

セザンヌの絵であった。——この美しさはどうしたものか! タッチの豊饒《ほうじょう》、諧調《かいちょう》の明快さ。複製で見ていたセザンヌとは、まるで感じがちがう。

日本にいた時、私はセザンヌのあの癖のあるタッチが嫌味で、反感を抱いていたくらいなのだ。ところが実物のこの画面のタッチは、デリケートな諧調をもって心に浸《し》み入ってくる。甘美、こんな形容詞はセザンヌの絵には当てはまらないのであるが、その時にはほんとうにそう感じられた。

「こんな美しさを見たことがない――」

私は異常に興奮して、ながい間そこに立ちつくしてしまった。眼がしらがジワジワ熱くなってくる。

閉館時間になり、やむなく外に出た。雨が降っていた。銀ねずみにくすぶるパリの街を、私はびしょ濡れになって呆然《ぼうぜん》と下宿に帰っていく。激しくつき上げられつき上げられする気持ちに、懸命に歯を食いしばった。雨に濡れた頬に、涙がぽろぽろと伝わって流れた。

ピカソの衝撃

下宿に帰って少し気が落ちつくと、私ははじめて自分が絵の前で泣いた事実に、いまさらのように驚いた。これは大変なことだと思った。大いに考えなければならない。だが当時の私は反省してそのような興奮の理由がはっきり自分につかめるだけ、熟していなかった。ただ身の内にひそんでいるなにものかを激しく予感したのである。

パリに着いてから2年ばかりのあいだは、生活の大きな変化をまず第一に、美術学校入学前後に受けた研究所のアカデミックな手法の影響と、当時パリおよび日本画壇でもっとも盛んだったフォーヴィスムの様式との矛盾、また日本人でありながらパリ画壇に入ってひとかどの者になりたいという野心などが、ごちゃごちゃに私を絡めた。

　画面に向かうと一筆一筆に迷って、ひどい疑惑と自己嫌悪に陥ってしまう。

　若くして世界芸術の本場、パリに修業に来られた幸運に対する責任感は、自分自身だけに嚙みしめなければならない重圧感を持ったものであり、また芸術家として名を成した両親を持つ者が対世間的にも、自分自身にもつねに高いレベルを保持しなければならない宿命を苦々しく嘗《な》めたのである。がんじがらめの苦悩は訴えることもできない。

　当時モンパルナッスでは日本人画家の多くがマティスを真似た、色のコントラストの美しさを表出しようとする傾向の仕事とか、鏝を使ってスゴンザックやヴラマンク風な風景画を描いたり、ユトリロばりの効果を狙って、お互いに仲間褒めしたり、けちをつけたりし合っていた。それを傍観《ぼうかん》してなんとなくうそ寒いような気がした。

　他の画家のそんな態度を見ると、ますます既成の形式に対して懐疑を持つようになった。彼らの必然性のない野獣派的なデフォルマシオン、ただ型を追ったのみのデフォルマシオンに至っては、嘔吐感《おうとかん》をさえ催《もよお》した。迷いに迷って絵らしい絵の描けなかったあの2年半のあいだはどんなに苦しかったことか。

　絵が思うように描けないのなら、そのあいだにせっかく勉強に来たフランスの文化をし

太郎が抽象芸術に目覚めるきっかけになったピカソの《水差しと果物鉢》(1931)。

っかりと身につけることが肝要《かんよう》である。それこそまず最初にしなければならないことだと思った。私はその準備のため一時アトリエを放擲《ほうてき》し、パリ郊外の中学校に入ってフランスの若い学生たちと半年あまりも寄宿舎生活をしてもみた。

両親が3年近くのヨーロッパ遊学を終え、私ひとりを残して帰国した年の夏、ある日、急に思い立ってラ・ボエッシー街（画商街）に絵を見に行った。この日こそは私の画業を決定する運命的な日だったのである。

ポール・ローザンベール（画商の店）で、マティス、ドランなどの絵の飾ってあるなかの奥まった小さな部屋に、ピカソの100号大の近作があった。大胆不敵に静物を抽象化した絵であった。私はその絵に強烈に惹《ひ》きつけられた。

画面一帯にのびのびと走る幾多《いくた》の細い線、太い線、その線のひとつひとつが鋭い触覚に微妙な味を交えて、きわめて端的にぐいぐいと胸をついてくる。思わず両拳を力いっぱい握った。胸があつくふくらむのを覚えると、私の眼には涙がにじみ出てきた。

これだ！　全身が叫んだ。――打ってくるもの、それは画面の色や線の魅力ばかりではない。その奥から逞しい芸術家の精神がビリビリとこちらの全身に伝わってくる。グンと一本の棒を呑み込まされたように絵の前で私は身動きできなかった。

やがて高ぶる感情をおさえおさえ、私は画廊を出て、28番のオルレアン辻《つじ》行きバスに乗った。モンパルナッス区のアトリエに帰るのだが、道すがら車窓から眼に映る午後の陽ざしを受けたセーヌの河面や、街路樹の緑の梢《こずえ》が、涙に浮いてぷよぷよににじんで見えた。

――あれこそ、つきとめる道だ――繰り返し繰り返し心に叫んだ。バスの乗客たちに見られないように、顔を車窓から街のほうにそむけていたが、とめどなく涙が湧いて出たのを覚えている。それは静かにあふれていたが、勇躍歓喜《ゆうやくかんき》の涙に近いものであった。

人はなぜ芸術に泣けるのか

人々はどんな動機で芸術作品の前で泣くかは知らない。私は生まれてから今日までたった2回、絵の前で泣けた。泣けるということについて私なりに考えてみたく思う。作品が美しく、立派だったからだろうか。

私はその後たびたびルーヴルに行って、かつてのセザンヌの絵を見たが、自分ながら驚くほど熱情が持てなかった。それは彼のなかでも低いもののように思われた。

ピカソの前述の作品はふたたび見る機会がなかったが、しかしおそらくいまこの前に立たされても、涙は出ないであろう。

私は滞欧中これらの作品にくらべてより偉大であり、完成されたと思われるような絵にも接した。神品《しんぴん》とも思える。チントレットやヴェラスケスなどの作品である。結構なこと、美しいこと、神品とも思える。じじつ、それらの作品を見ていると、神から恵み下されたのかと思えるような喜悦《きえつ》を感じ、呆然《ぼうぜん》と魅せられてしまう。もちろん激しく興奮させられる。

だがそれは泣けるという気分とは遠いものであった。涙が出る、泣けるというのはかならずしも大傑作に接するときではない。私がセザンヌとピカソの前で泣いたのは、それらの作品が私の生活と肉体に端的に浸み入ってきたからである。

私は鑑賞者として感激したのではない。つくる者として、揺り動かしてくる強い時代的共感に打たれたのであった。

　言い換えれば、作品の完成された美に打たれたのではない。創作者の動的な世界観に、私の意志が強烈にゆすぶられたのだ。これらがあたかも自分自身の魂の所産のようにさえ感じられたからだ。完成された古典美には陶酔感《とうすいかん》、幸福感は味わえても、このような力は受けない。

　セザンヌの絵を日本では多少とも印象派という概念をとおして見ずにはいられなかった。そして人々が大騒ぎするほど、私は好意を持つことができなかった。

けれども、2日間ルーヴルに行って古典や19世紀初頭、中期までの絵に馴れたなかで、とつぜん眼のさめるような近代的な、直接に私のセンスに訴えてくる作品に接して心が転倒したのである。

　つまり芸術の上ではじめて生《なま》で近代にふれたのだ。それは印象派でもなければ、日本で知っていたセザンヌの絵の範疇に入るものでもまったくない。

　私はまず純粋に絵対人間、言い換えれば、創作品対創作者の状態に置かれた。それは私に向かってひらかれた新しい世界だった。当時の私には言い表せない、つながりのある空気にみなぎっていた。

私はパリに来、ルーヴルを見ることによってはじめて、それまでは耽美《たんび》的な側面からしか見なかった印象派の根底にある、逞しい創造の精神にふれることができたのである。ピカソの絵の前で泣くほど感動するのには、2ヵ年半の迷いの生活が必要だった。セザンヌの絵に感激した時代から、そこにはもっともっと前進し飛躍しなければならない過程があったのだ。そしてちょうど自分の道を見つけて一途《いちず》に仕事をしていくのには、ひとつのきっかけさえ得ればよいという所まで、私はパリの尖端画壇の雰囲気に同化してきていたのであろう。

同時にピカソのつくり出す世界の進展の歩調も、若いジェネレーションの魂と肉体を同質的に打つのであった。ここに老ピカソの驚くべき若さがある。ピカソの作品は私とともにつくられつつあるのだ。またそれは大きな標識であり、新しい地平線を拓《ひら》く、力強く脈打った一本の道なのである。

もう一度言ってみたい。私の流した涙は鑑賞者としての感動ではなかった。創作者として、おなじ時代の悩みを悩み、逞しく正面からぶつかって進んでいく先達者《せんだつしゃ》の姿に全身をもって感激し、涙が眼からふき出たのである。

それは恐ろしい力となって受くるものを歓喜させ奮いたたせる。私は身を翻《ひるがえ》すように抽象画の道に突入していった。

概念で覚えた過去のすべての芸術様式を切り捨て、もっとも簡明な抽象に還元させて、それからあらためて自分の道を進んでいこうと思った。

私は抽象画から絵の道を求めた。それは印象派に追従したりフォーヴィスムを学ぶよりも、はるかに当時日本人としての私のロマンティシズムにぴったりしたものがあったからである。この様式こそ伝統や民族、国境の障壁を突破できる真に世界的な20世紀の芸術様式だったのだ。

——ある文化の地に他の伝統を持った芸術家が来て、その土地の文化に影響されて仕事をする場合、血縁のつながりのない異邦の現実に即するリアリズムよりは、抽象的またはロマンティックなものになりやすい。これは文化が交流した場合とか、ひとつの時代が他の時代に急に移行する場合、同様に起こる現象であるということは歴史のなかにも例証を見ることができる。じじつ、今日ほど文化の交流、時代の進転の急激な時期はない。

しかし滞仏の終わりの頃にはさらに考えが進んだ。ただ単に芸術家としてあることの空虚さに耐えられなくなったのである。ひらかれた世界の芸術のその根底に、対立した一方の極としてつかまなければならないはずの、もっとも泥臭い閉ざされた世界の現実が、外国人として、また芸術家として社会的に浮いてしまっていた私には致命的に欠けている。私はすでに芽生えはじめていた私の「対極主義」の世界観を現実に生かし、より徹底させるために日本に帰った。

戦後の仕事はピカソによってひらかれた芸術主義的な階段をのり超える作業だった。日本の泥、つまり芸術と無縁な、むしろそれをはばむ不合理な現実とあくまでも対決し、矛盾のなかに引き裂かれながら、しかも明朗につらぬく。それは己れを超え、ピカソをのり超えることなのである。

古代文化に感動する

１９３０年代のはじめ、パリで前衛芸術運動、アプストラクシオン・クレアシオンに参加した頃のことだ。20歳そこそこだった。おなじグループで、親しくつきあったクルト・セリグマンがある日、「こんな凄い文化を知っているか。最近発見された遺跡だ」といって、写真を見せてくれた。メキシコのピラミッドや、奇怪な神像の数々。

私はそのときはじめて中南米の古代芸術にふれたのだ。日本の教育ではこのような世界があることをまったく知らせてくれなかったし、ヨーロッパでも、まだその頃はほとんど問題にされていなかったからだ。

しかし、なんという凄み……。圧倒的な存在感だ。全身の血が燃えあがる思いだった。ただ美しいからとか、完璧なものに感動するというのではない。美とか醜、巧み、下手などということをすべて超えてしまっている。なんでこんな形、なんでこんな不思議なもの、と思えば思うほど、逆に強烈に惹きつけられ、吸い込まれていくようだ。

私は自分の身の内に、このような異様な諧調に共鳴する深みがあることを知らなかった。それはつまり自己発見でもあったのだ。

自分の存在の底に生きつづけていた永遠の〝いのち〟。それが突然、揺り起こされ、ふき上がって、思わず身ぶるいする、といった不思議な感動だ。石に彫られ、さまざまな素材に彩られた無言の遺物だが、眼と頭で感心するのではない。ビリビリと血肉にふれ、生命全体が揺り動かされるのだ。

私は人間文化の、無限のひろさに心がひらかれる思いだった。

人間生命の神秘と、言いようのない宇宙との合体がここにある。

かつての人類は真に自然と闘い、時空を超えた宇宙に挑み、そしてその世界観、宇宙像をなんらかの形でこの大地の上に刻印《こくいん》した。そのような芸術は、今日われわれの常識で考える美術史より、はるかにひろく世界全体をおおっているのだ。その実態は新しい発掘により、また研究・考証によって、なまなましくたちあらわれてきている。そして今日ますます大きな問題を提起しているのである。

あの神秘であり、ケンランとして部厚い、マヤ、トルテカ、アステカの伝統は、南のアンデス文明と響きあい、また北米の先住民族とつながっている。さらに極北イヌイットの神秘な空間性。アイヌ。日本の縄文文化。中国の殷周《いんしゅう》。そして遊牧民であるスキタイ。古代ヨーロッパに至ってケルト……。

生活形態も違い、時間、空間もさまざまにずれる。しかしそこに言いようのない運命、文化の深い一体感がひそんでいるように思えてならない。

これらにふれるとき、永遠の時間と、無限のひろさを、私もともに躍りながら流れていく思いがする。私が中南米の芸術を語るとき、眼の前に浮かぶのは、マヤ、アステカ、インカばかりではない。縄文であったり、スキタイであったり、ケルト文化だったりするのである。

繰り返して言う。つまりは中南米とか東洋とか、古代とかいう時空の問題を超えて、ジカに身にこたえてくるものをこそ見究めたいのである。

私が常々腹立たしく思っているのは、今日一般が美術という枠、いや「美」にたいして、どうにもならない偏見、固定観念にとらわれ、平気でたいへんな誤りをおかしていることだ。芸術というものがあたかも文明の一筋の流れに従って、枠づけされているように思っている。なんという錯覚。

だからいわゆる美術史とか、さまざまに編集・刊行される全集など見ても、とかくパターン化されている。かっこうのいいギリシャ、ローマからはじまって、ルネッサンスをひとつの頂点とし、そのゆるぎない系列、単に一ヨーロッパにすぎない枠組みの中に安住している。

日本の美術史といっても、いわばそういう西欧的基準に従って整理された美術史であるにすぎない。

私が考える芸術の永遠性、そして人間存在の意味は、そのようにシステマティックな西欧美学、美術史に局限されたポイントではない。いまも言ったように、はるかにひろく、はるかに深い、きわめて人間的であると同時に人間を超えた、強烈なセンセーションを前提としたい。その意味で中南米の芸術の凄みをとりあげようと思うのである。

芸術というものは、いわゆる美学を超えて、もっと存在の絶対感に直結していなければならない。

技術がうまかったり、かっこうがよかったりすることが価値ではない。そんなことはどうでもよい。むしろそういう枠をのり超えて、運命に挑み、自然と対決している人間。その緊迫感からおのずとふき出てくる表情こそ神秘なのである。

人間存在自体がきわめて矛盾に満ちている。矛盾こそ存在の根源であり、生きがいであり、感動である。

中南米の芸術はもちろん、先ほども言ったように他の古代文化にしてもおなじことだ。形はそれぞれ独自の宇宙観によってちがっているが、その矛盾を物として、凄《すさ》まじい表現力でつき出しているのだ。

日本人が忘れてしまった神秘的感動

プレ・コロンビア文化の空間に挑む表情には言いようのない矛盾の交錯《こうさく》がある。たとえばマヤの神殿。――巨大なピラミッドの整然とした構築。天空に向かって幾何学的な直線。そして無限のジャングルを圧し、大地にその全体的な重みをぐっとおさえて幾層にも重なる水平線。これは大地と天空へ向かっての挑みである、と同時に祈りであり、凄絶《せいぜつ》な賭けである。

しかし驚くことには、そのディテールを見ると、さらに奇々怪々である。異様な怪物が、なんともいえぬ執拗な曲線を描いてびっしりと彫り込まれている。柱も壁も、階段までも、そのような浮き彫りにおおわれていたりするのである。

しかもそれらのなかには神聖文字があって、マヤの歴史を宇宙的なスケールで物語っているのだとも言われる。文字と美術とはまだ一体であった、というよりも芸術表現と記述と呪術とは渾然《こんぜん》として未分化であった。そのような本質的な、神秘な、人間と宇宙とのコミュニケーションの呪文である。

整然とした高貴な顔のまわりに、無限にからみあい、くぐり抜ける曲線。それは蛇であったり、ジャガーであったり、鳥のようであったり、そしてまた骸骨《がいこつ》でもある。ひらいた口のなかにはまた顔があり、それらが永遠に重なりあって、それにふれる者に無限の畏怖と夢とをつきつけてくるのだ。

静と動、冷たさと、灼熱《しゃくねつ》よりもさらに激しく燃えあがる熱さ、現実感と非現実性が、これほど熾烈《しれつ》にぶつかりあっている文化というのは、ちょっと例がない。まことに驚くのである。

またアステカの神像。——コアトリクエ（蛇の裳裾《もすそ》の女神）など私のもっとも好きなもののひとつだが、化け物か、動物か、人間かわからない。そして俗にいう端正なスマートさは微塵もない。どっかりと重く、執拗に、不気味に、無限に繰り返される。

これを美というのだろうか。しかし私にはたとえばダ・ヴィンチとかミケランジェロの傑作を見るよりも、はるかに圧倒的な、芸術的、人間的共感で迫ってくるのだ。

人間像でも、いわゆる西欧的な美学とはまったく基準がちがう。

たとえば、歯をむき出して笑っているような顔。——不思議なことに、メキシコの笑う顔はすべてなにか呆《ほう》けたような恍惚の表情を浮かべている。その異様な雰囲気は、うす気味悪いとも、いやったらしいとも言いようがない。それでいて心の奥底にずんと響いて、忘れがたい印象を残すのである。

ところで、いま言った「コアトリクエ」の神像のことだが、1970年の大阪万国博のテーマ館、太陽の塔の地下に設けられた展示場に、この巨大な像も重要な役割をもって参加していた。いまも万国博跡に建った国立民族学博物館に展示されている。

私がはじめてこの不思議な神像を見たのは、1963年、最初にメキシコを訪れたときだった。そのときはまだモネダ通りの小さな博物館においてだったが、たいへんな驚きと感動を受けた。

　なんという奇怪さだ。しかし不思議に透明なのだ。激しさと優しさ。ほんとうの人間存在にぶつかったという思いがした。およそ人間的なイメージを超えていながら――。

　一見、ひとつの塊《かたま》りに見える頭部は、巨大な蛇の頭が眼をむいてぶつかりあっているのだ。つまりひとつの頭そのものが、引き裂かれ、激しく嚙みあい、そして強烈に一体となっているという、メキシコの伝統には根深い表現だが、今日ではとうてい想像できない「断絶」の技術だ。

　口からはみ出している幾つもの牙、そして舌。胸には手が何本もつき出て、指がひらかれたまま挑むように迫ってくる。心臓だというが、べろりとしたいやらしいものがぶら下がっている。

　腹の中央部には凶々《まがまが》しいドクロ。そして腰には無数の蛇が身をくねらせながら太々とたれ下がり、スカートのように腰をおおっているのだ。その全体の重みを支える脚は、一段と太く、たくましく、猛々《たけだけ》しい怪獣の爪をそなえて、この言いようのない運命をどっかと大地に踏みつけている。

　このような猛烈な荒々しい表現のいたるところに、あっと思うほど幻想的な模様がこま

メキシコのコアトリクエ。太郎が自ら撮影したものだ。

ごまと刻み込まれているのである。

背後に回ると、イメージは一転する。だが後ろもまた正面である。まことに絶対的存在感が、像全体にふき上がっているようだ。

あの凄まじい姿と、「蛇の裳裾の女神──コアトリクエ」という名は、私の心に焼きついたのである。ふたたびメキシコ市を訪れたときには、新しい巨大なムセオ・ナシオナル・デ・アントロポロヒア（国立人類学博物館）が完成していた。さまざまのすばらしい彫刻が立ちならび、あるいはうずくまっているなかに、コアトリクエは重要な場所にすえられていた。私はこの、およそ美女とはいえない女神に一段と、なんともいえない親しみを感じたのである。

万国博のテーマプロデューサーを依頼されたとき、世界中から神像や仮面を集める計画をたてた。その当初から、是非あれは飾りたいと思っていたのだ。いまはレプリカの優秀な技術がある。メキシコ政府に問い合わせ、本物そっくりにプラスチックの材料で複製してくれるよう頼んだ。こんなものをこそ、日本の人たちに見せたいと思ったからである。

このような神秘的感動を、現代日本人の多くは忘れ去ってしまっているようだ。しかし、生命の奥底にはかならずひそんでいるものだと私は確信しているのだ。

メキシコで思わされた現代の不幸

　私はメキシコにはもう何度訪れたかわからないが、行くたびにますますこの国が好きになる。風土も、芸術も、食べものも、あらゆるものが独特だ。なかでも私がとりわけ惹かれるのは、メキシコ人そのものの魅力だ。みんなが平気で生きている。そのおおらかな気配がうれしい。

　なんと人間的な匂いにあふれているのだろう。音、いろどり、すべてがひらいている。たしかに民衆は貧しい。町をちょっと出れば、裸足《はだし》で歩いているのが多い。手放しで貧乏。だが、その顔は無邪気に、太陽のように輝いている。

　この生活感はひどく感動的だ。

　それまでふれてきた俗にいう先進国。高度に開発された文化圏の表情には、こんなふくらみはなかった。市民たちははるかに裕福で、近代的な生活をしている。一見幸福そうにふるまっている。

　そのようでいて、底にはしかしなにか暗さがある。巨大な社会機構の重みにおしひしがれているような。……通りすがりの旅行者でも、身につまされて、ふとやりきれない思い

メキシコ オハカの市場（1967.7.28 岡本太郎撮影）

がする。日本の市民だって、けっして例外ではないのだ。「現代の不幸」である。

私はメキシコで、人間文化の運命――この地球上に同時に存在する、2つの生き方の極について考えさせられた。先進国・後進国とか、貧富とかいうような形式的な分類ではない。もっと根源的な、生き方のちがい。対極的な相手なのだ。

メキシコ市は超高層のビルがそびえる近代都市だが、それでもここに着いたとき、私はほっと全身がほぐれるような明るさを覚えたのである。

たとえ貧しい民家の街並みでも、それぞれ思いのままに色を塗りたくっている。まことに楽しく、華やかだ。

真っ赤な家のわきにコバルトブルーの家、そのまた隣は黄色に緑の窓枠、次はモモ色、といったぐあい。同じ色・形を本能的に避けるのか、ゆたかなヴァリエーションだ。もの凄い色が氾濫しているのに、おおらかで濃い調和だ。

着ているものも、とりどり。厚ぼったい毛のコートを着ている人がいるかと思えば、木綿の半そでシャツで歩いている。ビジネスセンターでも、派手に大きなソンブレロをかぶっていたり、民族色ゆたかなポンチョなどが平気で横行している。

ニューヨークや東京では、街じゅうお役人、サラリーマンみたい。画一的で味気ない。

ところが、ここでは人の眼を気にしたり、ワクにはまろうという気分はまるでない。

街角のクツみがき。足台が真っ赤なシュス張りで、スパンコールやガラス玉できらきらと飾りつけてあるのが眼についた。前にひかえているのは武骨なひげおやじだ。

オンボロ・タクシーに乗った。車はガタガタだが、窓ガラスのまわりじゅうに安物のネックレスをぶら下げ、マリア様の像を飾り、かわいいロウソク立てやら、お守りやら、車の中はびっしりとデコレーション。それらがふれあってガチャガチャ音を立てる。得意げに運転している。

民芸品のたのしさも、こんな雰囲気から出ている。みんなが平気で、それ自体として充実している。むき出しの生活感がむんむんとあふれている。スポイルされていない永遠の生命。

だから、貧乏だがけっしてみじめではない。

人間的人間。いわば、みんなが芸術家なのだ。

とかくわれわれは、近代化とか進歩というものが、幸福の手段であるように錯覚する。とりわけ日本は文明開化以来、先進国なみになることこそレーゾンデートルであるように思ってきたし、ひたすら進歩をめざし、むしろあがいて今日まで来たといえる。

だがそれが人間的なほんとうのスジなのかどうか。高度成長や生産高を誇るのもよい。だがここに来て、まさにその対極にあるような生活の自由感にふれると、このほうが人間的にはるかに高貴だと思えてしまうのである。

じじつ、メキシコ人には文化的な自負がある。何人かにアメリカ合衆国をどう思うか、と聞いてみた。「ああ、やつらは金を持っている。だから政府とか実業家たちは頭を下げてる。しかし文化は、オレたちのほうが高い」。口調がひどく自然で、力まない。素直にそう思っているのだ。

日本人とはちがうな、とつくづく思った。

芸術はもっと自然でなくてはならない

ところで、この2つの極のあり方をとくに強く印象づけられたのは芸術の問題である。「現代芸術」は苦しげに模索している。なんともせわしないことだ。これら西欧先進国の芸術が、きりきりと鋭い刃先をもみ込むように、あらゆる冒険を演じ、あがいている姿はいたましい。

それは、強大な社会システムの重みにおしひしがれている精神の、叫びである。ひとりひとりが絶望的に告白しているのだ。

われわれ同質の矛盾に生きるものにとって、共感があることはたしかだ。それが現代芸術の理屈ぬきの魅力だ。だがそういうものでないと芸術ではないかのように考えるのは、まちがいではないのか。

それらは、本質的にいってリアクションであるにすぎない。しかし、芸術は本来、自然にあふれてくるものでなければならない。

リアクションではなく、アクションであるべきだ。

古代マヤでも、アンデスのインカ帝国でも、そして現代メキシコも、そのようにしてあふれている。人々が無名の芸術家であり、平気でふくらみ、そのよろこびを表現している。

——アクションなのである。

そういう平気な土壌の上に、いわゆる「芸術」が実を結ぶべきだと思う。

第6章

伝統も創造も超えてゆけ

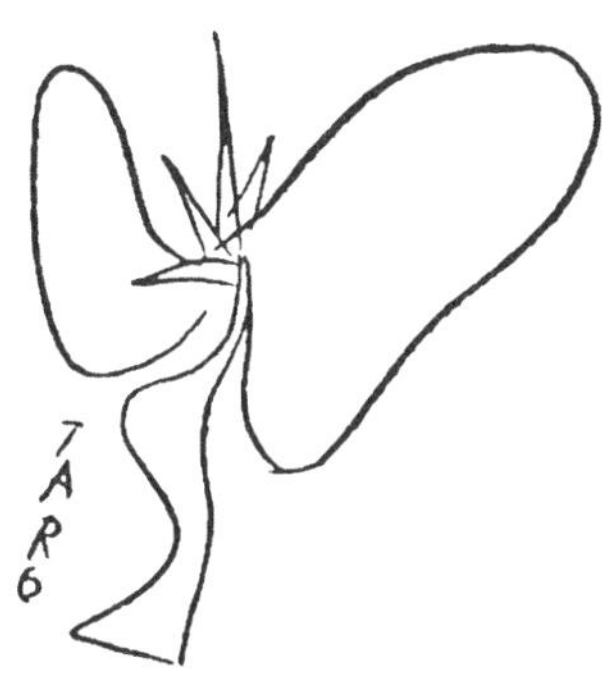

伝統なしの創造はない、創造なしの伝統もない

芸術のよろこびに2つある。伝統と創造である。

伝統は完成への道であり、そこにはみがきあげ、仕上げるよろこびがある。しかしいままでの型をうち破って、新しい時代に対決するという創造の営みには、さらに強烈な「歓喜」がある。

もちろんそれは危険きわまる実験である。成功するかしないか、自他ともにたいへんなスリルだ。だが、信念を持ってぶつけてみる。危険をともなうからこそ、結果が白か黒かわからないからこそ、不安と同時に熱狂的な感動があるのだ。

伝統と創造というこの2つの不思議な魅力。そして両者は強烈に相反発する。その対極的な緊張感のなかに、私は芸術家として生きる充実感を覚えるのだ。

伝統なしの創造はない。しかしまた創造ぬきの伝統はないというのが信念である。

だから私は激しく発言するのだ。どうして、伝統を信奉する人たち——社会の指導層にある人たちがほとんどそうである——が純粋な創造の営みをはばもうとするのか。

今日の「実験」、明日には価値として残るか残らないかわからない。それはどうでもいい。

しかし、いまこれをやらなければ明日はないのだ。そういう情熱と責任において、やる。「実験」というのはそういうものだ。己れとすべてをかけて実験しなければならない、その純粋な闘いと苦しみ。

伝統をかさにきてそれを冷笑し、押しつぶそうとすれば、かえって伝統自体をも窒息させ、不毛にしてしまう。そういう伝統主義者に対して、私は果てしない憤りを覚える。

しかし、憤りはまた、こちらの力でもある。

あらゆる分野の新しい動きが、そういう憤りのもとに結集し、惰性的で不明朗な空気をひっくり返さなければならない。

日本人のコンプレックス

すべての文化活動に、伝統の問題が強力にかかわる。人間のあらゆる歴史的行為が伝統になる。現在のすべては過去の宿命を負《お》うているし、また未来に向かって投げられている。たとえいかに過去と断絶しているとしても、断絶という行為を契機として過去を担い、それ自体また直ちに伝統になるのである。

現代造形にしても、これを伝統の問題と切り離して考えることはできない。現代を決意し徹底的にそれを表現した場合、それ自体がかえって強力に伝統を受けつぎ、歴史をおし進めてゆく。

これは論理だが、しかしなんといっても新しい伝統の出発は、一見いわゆる過去の伝統と正反対の形式をとり、まったく断絶した形で出てくる。たしかに近代造形ほどラジカルに過去の美的基準を否定して、別な方向に進んだものはあるまい。

その飛躍、発見と革命は、逆に今日、伝統の問題を正しく意識せしめている。

現代造形があたかも伝統と対立物であるかのように見えながら、内容的にも形態的にも、伝統の根源に食い入り、それを再生させているのである。

たとえばピカソをはじめ、20世紀のアヴァンギャルド絵画が人間文化の深みにあるプリミティヴな感動に、精神と形式の糧《かて》を得ているし、音楽においても演劇においても同様の運動が見られる。また近代建築の極度に単純で力学的な構造にしても、かえって根源的な様式と機能を再発見していると考えられる。

ところで、現在提出されている近代造形における伝統の問題は、もっと卑近なところに焦点があるようだ。今日の日本で、とくにこのことをとりあげるというところに、ひとつの特殊な事情を考慮に入れなければならないだろう。

近来、現代造形の課題として、世界に、いわゆる日本的なものへの関心がみられる。建築においてはすでに久しい以前からだ。またインテリア・デザイン、そのほか生活器具の方面でも。また絵画においても、書道の技術、形態が新しい課題としてとりあげられるなど。

そういう世界的な潮流に、とうぜん、日本人自身もまき込まれずにはいられない。海外の評価をバックに逆輸入されると、いままでうかつだった過去の文化遺産の株が急に上がってくる。それが絶対視されはじめると、日本人自身がそれにたいして態勢をたて直さなければならない。

つまり外国で問題になり、評価されているわれわれの伝統、いわゆる日本的形式をわれわれ自身はいったいどう見るか。どのようにそれにたいするか。という問題がアクチュアルな課題として立ちあらわれてくる。

考えてみれば、明治以来、今日まで近代的な意味で自覚された「伝統」の価値はほとんどが西欧人の判断に依存しているといってさしつかえない。

浮世絵、仏像、桂離宮《かつらりきゅう》、伊勢等々。もしそうでなければ、欧米文化に対する、その反動としての再認識、再出発である、茶道、いけばな、日本画等々。

おそらく、このくらい外側からの力によってつくりあげられ、形式化された伝統意識は珍しいだろう。だがそういう奇妙なポジションをのり超えて、新しい伝統の創造に向かってゆかなければならない。

そしてまた、伝統はあくまでも形式ではなく、民族の生命力の発現として考えなければならない。

私がいわゆる近代日本と断ち切れている縄文文化をこそ、われわれの伝統として、芸術の課題と再評価したのも、根源的な情熱をふたたびよびさまし、その可能性をおし進めたかったからにほかならない。

今日、この土器の凄みに戦慄することは、ジャポニカ的なイミテーションを意味しない。われわれのなかに新しい、しかも根源的な生命力の感動がよびさまされる。それは発見であり、創造的な契機なのだ。

俗にいうジャポニカのイージーな商業主義。またアカデミックな近世日本風。民芸風の懐古的ゲテモノ趣味。さらにそれらを折衷してリファインさせ、モダン化した数寄屋風などという形式、趣向。

それらは労せずして外国人を驚かし効果的にその心を捉える有利な条件であるとしても、

しかしそれははたしてわれわれ自身にとってどんな意味があるというのか。

これからの日本は、「外国にたいして」ではなく、「われわれにとって」の問題を決定していかなければ意味がない。

外国に持っていったら褒められるだろうかとか笑われやしないかなどという根性、それは明治の文明開化以来のコンプレックスだが、そんなものの微塵もない、つまりわれわれ自身の現在的な課題をとことんまでおし進めた結果、良かろうが悪かろうが、それ以外にはないという徹底したものをつくり出していくことだけが、正しく問題にこたえ、伝統と現代造形とをともに押し出していくのである。

伝統は現在にもある、未来にもある

日本のように伝統についてうるさくいうくせに、その本質を見誤っている文化国は珍しいんじゃないだろうか。

偏見のひとつは、伝統とは過去の出来事だと思いこんでいることだ。だから、とうぜん古めかしい。

こむずかしい知識を身につけたインテリとか、しぶい着物など着て能楽堂《のうがくどう》へでも出入りしている高尚な人だけに関係した問題で、満員電車でもみくちゃにされて通勤したり、喫茶店で恋人と待ち合わせたり、そのへんをぞろぞろ歩いている一般人とはまったく無縁という感じである。

日本の伝統はつまり骨董的な意味で古い人たちに珍重され、高く買われている。一方に、またその故にこそ若い世代には敬遠され、軽蔑されている。つねになまなましく生きるべき伝統が不幸にゆがめられているのだ。

もちろん伝統というものは、われわれ今日の日本人全体のものである。現実に生きている日本人こそがひろく受けつぐものだし、現に受けつぎ、新しくそれを生かしつつあるのだ。

けっして過去にたいして無知であっていい、ただ生きればいいというのではない。伝統は、逞しく生きることによって、正しい眼で過去と未来をにらみ合わせ、己れの責任においてそれを引き受けるところにのみ生きる。

私は、戦後、復員と同時に新しい芸術を主張し、古い権威にたいして無効を宣言した。以来、成果は大いにあらわれたのだが、しかしひるんだ敵は、古典だ伝統だと叫んで、その突っかい棒にしがみついている。こいつをひとつ、ひっくり返して、こっちのものにしてやろう。トドメの一撃。

伝統なんて、彼らが少しも手を貸したわけではなく、自分たちの実力とはなんら関係がないのに、狡猾《こうかつ》に、まるで自分たちの権威の道具にしてふり回しているのだ。こんなゴマカシから伝統の意味が誤解され、なにか暗い、カビくさい、若さとは関係のないもののような感じを与える。

若い世代に正しく受けつがれないで、なんの伝統だろうか。いわゆる「伝統主義者」とはぜんぜん違った立場から、新鮮な価値として再発見しなければならない。

それはアヴァンギャルドの一本槍、大手からの正面攻撃ばかりでなく、からめ手から攻め入って、本丸をひっくりかえす戦略でもある。

われわれの手によって新しく意味づけられ、さらに一段と高い価値として光を放ちはじめるものもあり、またいままでの雛段《ひなだん》から放り出されるものもあるだろう。いずれにしても、ほんとうに現在的な問題をそこからつかみ出してくる。われわれ自身の伝統を見出し、つくりあげていく必要がある。

美術史、文化史を芸術家の尖鋭な立場で書き直す。これは近世以来見失ってしまった日本文化のプライドを、ポーズでなく実質的に打ちたてることであり、まさに緊急の課題である。

こういう不逞《ふてい》な情熱で、まったく傍若無人に再評価し、拙著『日本の伝統』を書いた。さぞかし伝統主義者側から反論ごうごうとまき起こるか、とたのしみにしていたのだが、いざ発表してみると、情けない。「いや、じつは私も、前からそう思っていた」などと、口を揃えて、ケロリとして讃辞を呈《てい》するのだ。

右に行っても左に行っても、ヌラリクラリとあざやかな身のさばき。われながら大ナギナタを空振りしたような具合だが、いつでも、相手はカッチリぶつかることがない。文化人たちのしょうのなさである。

そんな伝統はウソだ

そこで気がついた。日本にはじつは伝統観というものは無いのではないか。

「伝統」「伝統」と鬼の首でも取ったような気になっているこの言葉自体、トラディションの翻訳として明治後半につくられた新造語にすぎない。「伝統」という字はあるにはあったらしいが、今日のような意味は持っていなかったのである。

しかも伝統主義者たちは権威的にいろいろ挙げているが、しかしそれらが新しい日本の血肉に決定的な爪あとを立ててはいない。

いわゆる伝統とされているものの内容も様式も、大層にかつぎあげればあげるほど、かえって新鮮さを失い、時代と無縁になっていく。

伝統という観念が明治時代に形づくられたように、中身も明治官僚によって急ごしらえされた。圧倒的な西欧化に対抗するものとして、またその近代的体系に対応して。

たとえば西洋には美術史がある、こっちにもなくちゃ、というわけで、向こうの形をしき写して、それらしきものをつくりあげた。アプリケーションにすぎない。

廃仏棄釈《はいぶつきしゃく》の明治初期にほとんどすて去られて顧《かえり》みられなかったお寺や仏像などが、西欧文化史のギリシャ・ローマの彫刻にあたる、というわけで、とつぜん日本芸術の根源みたいにまつりあげられた。それなら桃山期はさしずめルネッサンスだ。

……ひどく便宜的で、そこに一貫した世界観、芸術観がつらぬかれているわけではない。ただ当てはめて、並べた、よく考えてみれば、まったく三題噺《ばなし》みたいなものだ。

あわてて形式だけをペダンティックにつなぎ合わしたものでも、しかし文部省が公認して権威になると、教材として無批判に、有無をいわさず国民に押しつけてしまう。なんのことだかよくわからないけれど、結構なものだ、そう決まってるんだから、と。

……まことに味気ない。だがこの国では、学者、芸術家、文化人、すべてが官僚的雰囲気のなかで安住しているので、いっぺん決まってしまったことはまた、どうにもならないのである。

だが、人工的に制定されたスジが権威ヅラしても、伝統としてのほんとうの力を持たないのはとうぜんだ。古いものに惰性的であるくせに、日本人が意外にも伝統に対して消極的なのはそのせいだ。

「伝統」は大衆の生活とは無関係、そのもりあがりなしにつくりあげられたのだ。官僚が選定したものだけが権威的伝統だなんて、そんな屈辱的なナンセンスはない。

ほんとうの伝統とは？

それでは、われわれ自身にとっての伝統とはいったいなんだろう。

私は「伝統」を、古い形骸をうち破ることによって、かえってその内容——人間の生命力と可能性を逞しく打ちひらき、展開させる、その原動力と考えたい。この言葉をきわめて革命的な意味で使うのだ。

因襲《いんしゅう》と伝統とはちがう。

伝統はわれわれの生活の中に、仕事のなかに生きてくるものでなければならない。現在の生きがいから過去を有効的に捉え、価値として再認識する。そのときに、現在の問題として浮かびあがってくるのだ。

古いものはつねに新しい時代に見返されることによって、つまり、否定的肯定によって価値づけられる。そして伝統になる。したがって伝統は過去ではなくて現在にあるといえる。

だがいままで「伝統」はもっぱら封建モラル、家元制度、閉鎖的な職人ギルド制のなかで、因襲的に捉えられてきた。アカデミックな権威側の、地位をまもる自己防衛の道具になって、保守的な役割を果たしているのだ。

私の考えを展開していく前に、具体的に現状をとりあげてみよう。たとえば次のようなことはどう考えるべきだろう。

——画家として身をたてようとする。芸大なんていう官学コースはもちろん、ほとんどの画学生が、まずその第一歩はギリシャ彫刻の石膏像をコピーすることからはじめる。やがて油絵具を使って、西欧19世紀的アカデミズムを習得する。情熱をもって日夜真剣に考えるのは、ゴッホでありピカソである。絵描きには浮世絵や雪舟よりも、ギリシャ・ローマの西欧系の伝統のほうが現実の関心になっている。とすると、これはいったいどういうことか。

文学だって、源氏物語が日本の誇りだとか、新古今だとか俳諧だとかいうが、だれがそれをほんとうに熱愛し、感動し、それによって人格形成をされるのだろうか。

それよりもスタンダール、ヴァレリー、ドストエフスキー、サルトルでも、フォークナーでもかまわない。多少のインテリなら、若い日、むしろそういうものに夢中になり、自分の魂がひらかれ、性格が形づくられ、創作意欲が生まれる、そういう経験を持たなかった者はいないだろう。音楽でも、ベートーヴェンやショパンよりも第何世常磐津文字兵衛《ときわづもじべえ》のほうがピンとくるなんていう若者は珍しい。

してみると、どっちがわれわれの伝統なんだろう。

むしろわれわれは、近代文化を生んだ西欧によって育てられている。

洋服を着て、電車に乗って暮らしている事実にしても、ものを喋るにしても、その論理のたて方、ものつかまえ方、すべてがそうだ。こどもの時から教育され身にそなわった西欧近代的なシステムによって、われわれは判断し、生活し、世界観を組み立てている。

私は別段それが正しいとか、また逆にゆがんでいるとか言っているのではない。ただそれが事実だということ。つまりとかく大層らしく言われるほど、われわれは純血な伝統を負うてはいないということを指摘しているのだ。

もし伝統というものが現在に生き、価値づけられるものだとするならば、ここでわれわれにとっての伝統の問題はすっかり様相を変えてしまうだろう。

それはなにも日本の過去にあったものだけにはかかわらない、と考えたほうが現実的ではないか。なにもケチケチ狭く自分の受けつぐべき遺産を限定する必要はない。

どうして日本の伝統というと、奈良の仏像だとか、茶の湯、能、源氏物語というような、もう現実的には効力を失っている、今日の生活とは無関係なようなものばかりを考えなければならないのだろう。そういう狭い意味の日本の過去だけがわれわれの伝統じゃないのだ。

ギリシャだろうがゴシックだろうが、またマヤでもアフリカでも、もちろん日本でも、世界中、人類文化の優れた遺産のすべて、そのなかのどれをとってどれをとらないか、それは自由だ。

われわれが見聞きし、存在を知り得《え》、なんらかの形で感動を覚え、刺激を与えられ、新しい自分を形成した、自分にとっての現実の根、そういうものこそ正しい伝統といえるだろう。

だから無限に幅ひろい過去がすべてわれわれの伝統だと考えるべきであって、日本の古いものはわれわれにとってむしろ遠いとさえいえるのだ。

自分の姿を鏡で見るときのように、如実に自分の弱みを見せつけられる。ふとそんな気分がして、われわれはかえっていわゆる日本的なものを逆に嫌悪し、おしのけてさえいる。この事実を自他にごまかしてはならない。

私たちは伝統よりも現在に縛られている

私が『日本の伝統』を発表したときに、ある批評家が「あの本の伝統論にはまったく賛成だが、西洋の伝統をも、ともども引き受けるってのはおかしい」と言ってきた。

だがいまも言ったとおり、われわれは今日、一面においては世界的に共通な形式のなかに生活しているのであって、世界の因果が、われわれの骨肉にかかわっている。それと正しく対決することによって、われわれの土台から新しい文化を打ちたてていく、それが人間の伝統を輝かしく受けついでいく生きがいであることはたしかだ。

しかし、とすると、ちょっとおかしい。われわれにとってギリシャのアクロポリスも伝統であり、ピラミッドも、古代メキシコの神殿も、中国殷周の青銅文化、仏教芸術、ゴシック、バロック、ロマンティシズム、すべて伝統であるとするならば、「じゃあ、伝統なんてものはねえじゃねえか」ってことになる。

「伝統」とわざわざ区別して呼ぶ以上、さまざまあるなかの、ある一定のなにか局限されたものを言うはずで、なんでもかんでもみな伝統だなんて、それなら伝でもなきゃ統でもない。その他のもろもろと区別し、局限するなにか、それがなにかということが問題である。これはたしかだ。新しい伝統論のポイントがここに出てくると私は思うのだ。

私は普通考えられている伝統観、それに対立する「世界性」のスジと、まったく正反対の問題を提起したい。

いままでは伝統というものを、パティキュラーな狭いものと考えた。京都の伝統、薩摩の伝統、少しひろがって日本の伝統、東洋の伝統、それに対立する西洋の伝統というふうに、人種とか国境、民族そういう枠で過去を切断し、局限して捉えようとしたのだ。

ひらかれた世界性にたいして、閉ざされた枠、制約。そういうものによって限定された世界、特殊性を受けついでいくのが伝統であり、「現在」は、反対に、無限にひらかれた、世界的な世界の可能性に立たされている、というのが伝統とか現代文化に対する一般的考え方だ。

　だがじつはそうじゃない。私が言いたいのは逆だ。

　今日、過去のほうは非常に広大に、全世界的にひろがってきている。民族とか国境とかいう狭い枠をぬきにして、今日の血肉となっている過去、現在的な感動をもってわれわれが関心を持つすべては、われわれの受けた遺産である。そしてその遺産は、その受けるものの分量において無限に打ちひらかれている。

　もしわれわれを強力に限定し、規制するものがあるとすれば、それは逆に現在、現実にこそあるのだ。逆説的に聞こえるかもしれない。しかしそれこそ実際であり、そこに今日の伝統、そしてそこから打ちひらかれていく芸術の大きな問題があると思う。

　われわれが今日与えられた、負わされている、のっぴきならない現実のさまざまな条件。それはきわめて特殊なものだ。

　われわれは現代の文化芸術にひろい大きな視野を持っている。その最尖端の問題を口にする。今日の芸術が果たさなければならない役割も知っている。

　だが純粋な形でそういうものを結晶させ生み出すには、あまりにも障害の多い、雑駁《ざっぱく》な世界に生きていることもたしかだ。たとえどんなすばらしい夢を描いたとしても、――それは自由だし、結構だ。だがわれわれが毎日生きていながら、皮膚の表面に感じとっているものは、隣のかみさんのツラであったり、小便臭い横丁であったり、というわけだ。

見わたす限り乱雑で混乱した、味気ない街々。

そういうものに対する憎しみとか哀《あわ》れみ、滑稽、このなんともいえない、ライスカレーの中にお汁粉とチーズとチャーシューメンをごちゃごちゃにかきまわしたような、そういうすべてをひっくるめたものが、わが風土なのだ。

それはここでしか通じない。つまりあまりにも日本的であり、一定の場所の、その瞬間におけるローカリティ、まったく局部的な特殊現象であるにすぎない。

雄大な、無限にゆたかな過去の昇華された世界にたいして、それは実際つまらないし、バカバカしいともいえる。

そういう特殊な現実、世界にたいしてはなんの関係もない、芸術、文化の理想とはおよそかけ離れた環境、その条件と、日々にわれわれは対決しているし、いかなければならない。いかにその局地的な現実がナンセンスで、チマチマしたやりきれないものであっても、これを抽象し、棄《す》て去ることはできない。

その悩み、悲しみ、苦しみ、よろこび、それはひとりひとりに与えられたのっぴきならない事態であり、またひとつの共同体、民族にはめられた枠になっている。

伝統を前向きに使え

もしわれわれが世界に向かって創造しようとするときには、このパティキュラーな現実にまともにぶつかり、そこをとおして実現しなければウソだ。

この特殊性、不利な条件こそ逆に可能性への鍵である。だが多くの作家はこの困難な矛盾の道をむしろ軽蔑し、避けてしまう。モダニスト、にせものが栄える所以《ゆえん》だ。

創造は本来、きわめてパティキュラーだ。それはほとんどひとりだけの孤独な作業である。しかもいま言ったような局限された特殊な状況を土台にして創り出す場合、しぼられた特殊な様相をおびるのはとうぜんだ。己れをのり超えるということは、極端に己れ自身になりきること以外にはない。

過去がすべて受けた遺産として自由に所有することができるひらかれた世界だとしても、この狭い出口において強力に濾過《ろか》する。過去がなんらかのスジをもって意味づけられる、「伝統」があらわれるのはその瞬間なのだ。

過去を貪婪《どんらん》に無限大にまでひらいて、現在のパティキュラリティーは逆に局限までちぢめて考えるべきだと私は思う。ちょうど袋にいっぱいに空気をつめて、口をキュッと締めたように。その締めた口のところが現在の自分だ。

うんとふくらましたなかには、世界のあらゆる過去の遺産、財宝がゆたかにとり込まれている。緊密に締めれば締めるほど、中の空気はピューッと、凄い勢いでふき出る。それがつまり創造活動であり、その口のあり方がオリジナリティ、創造の契機なのである。先に言ったような現実のパティキュラリティーは逆に考えれば、その口のあり方の独自性を強烈にプラスする条件である。

ところがいままでの伝統主義者のとっていた手続きは逆だった。いつでも伝統という名において過去をひどく狭めて考える。そして逆に現在をルーズに解放される場所としてみる。

われわれは日本人である。千利休のような審美眼を持ち、奥の細道みたいな気分になり、モノノアワレを打ち出し、ユーゲンな味をこめ、そういう土台にのっとって、ひろく世界に通じるような仕事をしようという考えだ。

袋のほうはしぼっておいて、口のほうばっかりひろげて見せたりしても、駄目。せいぜいすかした味ぐらいで、そこからはとうてい猛烈な創造のエネルギーは出てこない。

遺産が推進力になるよりも、むしろ呪縛として働いている日本では、これをさかさにひっくり返してしぼりあげていくという、大きな外科的治療が必要だ。

このように伝統の意味をまったく新しい観点からつかみとることは、ゆたかな財宝をかかえながらひたすら卑屈になっている日本現代文化をその袋小路からひき出し、明朗に、たくましく、世界におし進めていくための緊急な課題である。

第7章

忘れたくない日本の芸術

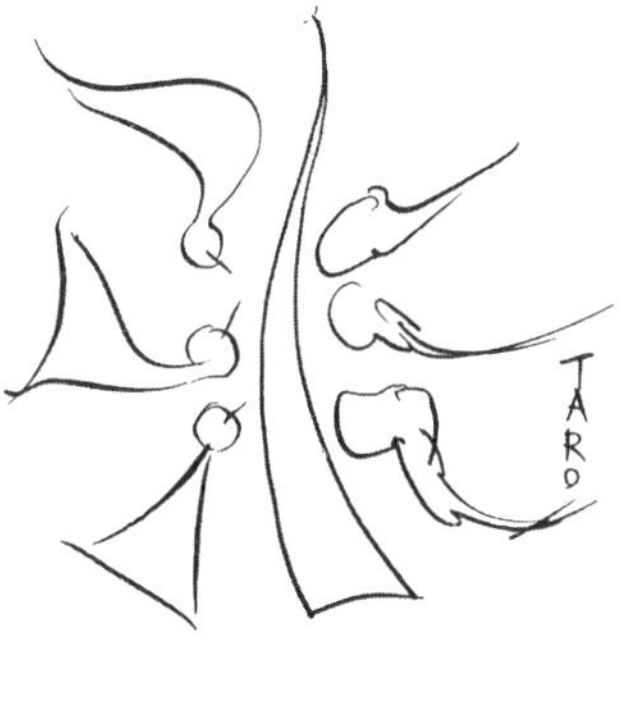

縄文土器――満ちあふれる生命力

はじめてこの土器を掘り出した人は、いったいなんと思っただろう。雷のオトシ児か、暗い土の魔物かバケモノが、呪文から解き放たれて飛び出したか、とびっくりしたにちがいない。

激しく、いやったらしく、不気味である。ところで、これこそまごうことなくわれわれの祖先が、たのしく、ほれぼれとしてつくりあげた生活芸術品である、と知ったら二度びっくりしただろう。

世界でもこのように不思議で執拗な装飾的美術品は少ない。

これを単なる装飾とはもちろん考えられない。大地の奥底にひそんで、山川草木、地上のすべてに生命力を与える。根源的な魔的な神秘の力がここにふき出している感じである。不気味な線が幾重にも幾重にも繰り返し、のたうちまわり、ぎりぎりと回転して、またとんでもないところに突っ走ってゆく。奇怪なハ虫類の触角のようなものが、何本も何本も、ニョキニョキと突き出している。

現代の日本人にはとうてい耐えられないような美観である。そう考えると、この凄みに

富山で出土した縄文土器（東京大学蔵、岡本太郎撮影）

圧倒されながら私はまことにうれしくなってしまうのである。今日のあのメソメソイジイジしたけちくさい根性、したり顔で弁解ばっかりしているインテリどもにこれをたたきつけてやりたい衝動にかられる。

われわれ民族が今日まで生きながらえてきたのは、このようなたくましい生命の原動力が血液の奥にひそんで脈うっているからだ。

私はこの力の意味を、日本民族の歴史の流れのなかに感じいる。たとえ平安朝以来、日本人の美意識が次第に柔和に繊細化し、また中世から徳川期を経て、湿っぽくくすんできて本来の日本人が持っていたたくましさ、明朗さ、おおらかさが失われてしまったとしても、けっして絶望的ではない。

日本人が芸術に、スポーツに、また近代工業国として、不思議なエネルギーを持っているということは、こういう遠い遠い祖先の、大事な貯金があるからだ、と言いたい。縄文文化のたくましい、魔術的、神秘的な力が地底の熱と光のように、歴史の深みからわれわれを照らし、あたためる。

このような過去を持った民族の情熱生命力が枯れつくすことはあり得ないはずだ。民族への信頼感である。

だから、いわゆる日本的という、繊細でしぶ好みのほどのよさばかりがわれわれの身上ではないということ。狂気的なほど激しく、なまなましく、若くあること、われわれの血のなかには、そのような圧倒的な本質がひそんでいることを自覚しなければならない。縄文土器をご覧なさい。戦慄的に、同質の血が共鳴する。だが、この土器の感動は異様に近代的でもある。

なぜだろうか、それはその驚くべき空間性が、われわれの近代的なセンスにビリビリと訴えてくるからだ。ジェット機が飛び、人工衛星が無限の彼方《かなた》に打ち放たれ、われわれの夢は宇宙のひろがりのなかに発展してゆく。したがってわれわれの芸術もとうぜんそのような性格を帯びている。

近代芸術は、いままで塊りとして考えられてきた彫刻の内部に空間をとり込んでしまった。空間は作品の外側ではなくなって、空間そのものを構成することになったのだ。これは20世紀のアヴァンギャルドの偉大な発見であり、飛躍だったのだが、この原始の土器はみごとにその技術をマスターし、現代芸術の課題にこたえている。まことに驚くべきことである。

この空間性、生命―神秘感はかつてわれわれの祖先が農耕生活に入る前、海や山に獲物を捕らえて食糧としていた時代のたくましい表情である。今日の日本芸術の宿命のように考えられている平板《へいばん》さは、ながい封建的農耕社会の産物にすぎないのである。

甲冑――ゆたかな想像力

日本は輸入文化国だといわれる。なにからなにまで翻案であり、オリジナリティを持たないというのが、多くの知識人のひがみである。

しかし、そんな心配はつまらないことだ。どんな文化だって、交流の上に成り立っている。どんどん異質の文化を輸入し、吸収することは結構なのである。

だがそれを嚙みくだき、たくましい独自性で生かさなければおもしろくないこともたしかだ。私は日本的変貌のひとつのすばらしい例として、中世のヨロイカブトをあげたい。

さすがに、華やかな平安の貴族文化と、興隆してきた民衆の代表、積極的な武家階級の創造力、そのイマジネーションのゆたかさがぴしりとぶつかってできあがった精華《せいか》である。

奈良朝以来の仏像、十二神将や、四天王などに見られる唐代の鎧《よろい》の形式が原型になっているのだろうが、それがまったく別個の、独特な形で展開した。

われわれにのこされた美術品は多いが、甲冑《かっちゅう》ほど繊細であると同時に強固さを巧みに表現しているものは少ない。人間的表現の極致でありながら、動物的気配をも盛り込み、優雅であると同時に、野蛮な凄みを秘めている。

とかく何事もあちらとくらべたがる方々に申し上げるが、西欧中世の甲冑と並べても、その眼をあざむくような豪華さと優美さは圧倒的である。

向こうのものは合理的・機能的ではあるが、あまりにも実用一点ばり、ちょうど潜水服か宇宙服を思わせる。その点、スマートといえばいえるが、散文的で想像力のおもしろみが見られない。

これにたいして日本の甲冑、ことに源平時代から鎌倉にかけての大鎧《おおよろい》のすばらしさ。大胆にイマジネーションを働かせた美々《びび》しさは、まさに圧巻である。だいたい西洋の衣服が肉体の線を生かしていくのに対して、日本ではむしろそれを隠して、別の形に仕立てる。人間とちがった華やかな形をつくりあげるということが、素朴さ、卑俗《ひぞく》さと隔絶《かくぜつ》する貴族的な趣味性だったのではないか。

甲冑は組んずほぐれつ、という格闘の道具ではない。いまの統率者、武と威と美の象徴として、冷静に戦いの絵巻をうち眺めている大将の、むしろ飾りものとしてふさわしい。

西欧の鎧はもっとなまなましく、インサンな闘争を感じさせる。向こうの戦いが、より動物的、実際的だったのにたいして、日本のイクサの仕方はひどく美学的で、絵巻物的、形式ゆたかだったのかもしれない、などと想像してみる。

日本人はいったいに肉体的でない。スポーツなど見ても、跳躍、水泳、体操、テニス、プロ野球など、あらゆる場合、外国選手にくらべて肉体的なヴォリューム、たくましさを感じさせることはない。

だがその動作は、細身の太刀のように、しなやかで優美である。向こうがときには丸たん棒でぶんなぐるような感じの動物的筋肉の逞しさを思わせるのにたいして、ひどく精神的に、神経そのものが動いているように見える。こう感じるのは私ばかりだろうか。

その繊細な神経が、あのような肉体的な鎧のなかに身をひそめているということ自体が、ちょっと見ものなのである。

銀沙灘――おおらかな抽象芸術

あまりにも有名な銀閣のイメージは幼い頃から親しかったが、お恥ずかしいことには、銀沙灘《ぎんしゃだん》などという、途方もない芸術品がその真中《まんなか》に、ところ狭しとばかり、ノサバリかえっていようとはツユ知らなかったのである。

だからはじめは不用心に、いわゆる古寺、名園を拝見するつもりで出かけていって、この盛り砂に真っ向からぶつかり、どかんとハタカレたような思いがした。そして、へェー、これはいい、まことにうれしくなったのである。

門をくぐって入ったとたんの場所である。かれこれ3尺ばかりの厚みにひろびろと砂が盛ってある。胸高いという感じである。しかもどういうわけか、そのそばにまた一段と高いスリバチ型の盛り砂が、それに対応してチョコンとくっつけてあるのだ。

これを向月台《こうげつだい》と呼ぶ。まったく奇妙。だが、おおらかで美しい。およそ日本の美形式の中にその類型を見ない、人工的な抽象形態。ウルトラ・モダンな彫刻作品という感じだ。

おそらく私ばかりではないだろう。ここを訪れる人は、きっと意表をつかれてびっくりするにちがいない。そしてそれをどう鑑賞していいのか迷うだろう。予備知識を与え、納得させる手引書とて無いのである。

まことに不思議なことには、このすばらしい日本の財宝が一般にはほとんど知られていず、美術史でもまったく問題にされていないのである。

なにもかもチマチマとこまっちゃくれた京都、いや日本の美的環境のなかで、これほどむきだしに、ものそのものの感じ、その部厚さを表現しているものはない。そしてそれが

慈照寺銀閣の銀沙灘（岡本太郎撮影）

またきわめて日本的な感動を伝えてくるのだから奇妙である。

私はちんまりしたものだけが日本的だと考える傾向には、大反対だ。

すべて時代には流れがあり、繊細化されると思うと、また逞しい鷹揚《おうよう》な気配がもり返し、リファインされたかと思うと土臭い素朴にもどる。おなじ時代にも狭さと、その反対のひろがりを求める心がある。

日本文化だって同様である。ただ、いままでの風流人とか趣味人などの伝統主義者たちが、民族の血の中につねにひそんでいた逞しい面を敬遠して、シンキくさい「裏側文化」だけに伝統を見ていただけの話である。

もっとも、大味で変哲もないようなものは、なかなか成功しないものだ。まかりまちがうと、図体《ずうたい》が大きいだけ、バカみたいになってしまう。しかしこの銀沙灘は、近代芸術の造形感覚からいってもピシャリ。空間構成の傑作である。

銀閣、慈照寺《じしょうじ》はだれでも知っているとおり、足利義政が晩年の山荘として、当時の文化の粋《すい》をあつめて営んだものである。

この将軍はたいへん趣味ゆたかな文化人だったが、とくに庭園には一見識があったらしい。彼の好みで、東山からさしのぼる月を眺めるために、殿舎《でんしゃ》はすべてそれに向かって配置されたという。山陰の濃い闇の底に、白砂のひろがりは月光をうけて銀色にきらめき、幻想的な湖に変貌するという趣向である。

ところで義政の時代には、この盛り砂があったかどうか、きわめてあやしい。どうも後世のものらしい。しかし、だれが思いつき、だれがつくりはじめたものか、歴史的につまびらかでないが、徳川期から明治、大正にかけて少しずつ形を変えて、今日の姿に至ったものであることはたしかだ。

だから作者がだれということはいえない。大勢の人間とながい時間の流れが、自然と結晶させた人工美である。

つまり「無名の芸術」。

無名であることは優れた芸術作品のひとつのあり方である。銀沙灘は、まさに日本のアノニーム芸術の傑作なのだ。

オバケ——世界に誇るイマジネーション

日本文化の遺産といえば、お能、浮世絵、日光、桂、さてはフジヤマ、ゲイシャガールなんて高級?なものばかりだと思ったら大まちがい。まだまだたいへんすばらしく、趣《おもむき》ふかく、しかもケンランたる文化遺産がウンとある。

その筆頭に、私はオバケ、幽霊をあげたい。その種類のゆたかさ。イメージのおもしろさ。繊細微妙なる個性。——この領域においては、通説をくつがえして、日本民族はイマジネーションのゆたかさを世界に誇るのである。

西洋の幽霊が、頭から白いシーツをかぶって、ガラガラと色気のない鉛《なまり》の音を立て、やや間の抜けたかっこうで出場してくるのに、お岩、累《かさね》、番町のお菊さんなど、日本の幽霊は芸が細かい。まさに幽艶《ゆうえん》で、ウェットな日本を代表するに足りる。とうぜん、世界霊界オリンピックの金メダル組だってことは、だれでも認めざるを得ないだろう。

ところで、私はまたちょっと別の意見を持っている。私が推賞する日本のチャンピオンは、こういうシンミリした、お品《ひん》のいいやつではないのだ。かさのオバケ、ちょうちんの舌出し、げたからとっくり。世帯道具が全部バケモノになって出てくるような連中。

ところでもっと好きなのは、一つ目小僧、三つ目の大入道、ロクロッ首の類である。さらに尊敬できるものに、ノッペラボーがある。彼らくらい人生のカラクリを見破り、しかもなおけろりとして、ユーモラスな凄みを見せる芸術家はない。ノッペラボーにいたると、そのなまなましい抽象性はオブジェ芸術の極致といえる。

ちょっとお断りしておきたいが、オバケと幽霊はとかく混同されやすい。が、これはあきらかにちがった人種である。

幽霊は精神的。「ウラメシヤー」なんて青い顔して出てきて愚痴、恨みをかきくどく。きわめてウェットなやつだが、オバケの方は、ケタケタとうち笑ったりペロリと舌を出したり、まことに陽気で、道化《どうけ》で、どう考えても喜劇役者である。

ともに封建時代の産物ではあるが、幽霊は長雨が肌の下にしみ込んでゆくようなしめっぽさ。封建社会の、とじ込められた世界の中で身動きできないような、その底で身もだえながらうごめいているような愚痴、恨み。それはそのまま当時の社会の現実である。

非現実の霊でありながら、同時に生きている人間の現実だったのだ。生きている人間自体が迷っていたのである。

だが押しつぶされて、迷ってばかりいたのでは、このつらい浮世《うきよ》を生きとおしてこられやしない。民衆は一方には、そんな気分をはねとばすドライなエネルギーを持っていた。それがオバケという、明朗で、ナンセンスな姿で、ぴょンぴょン踊り出てきたのである。身近なところでも、終戦後はオバケ時代である。われわれの身辺はモダンオバケの展覧会みたいなものだ。

——オヘソばっかりみせびらかすストリップ。ポマードでコネリあげたリーゼントスタイルに、ギョッとするアロハのシャツ。暗い街角から、の太い声で呼びかける厚化粧、美女に化けた男娼。さては前衛いけ花、書道の類。芸のない組では、乱闘国会のおサルさんたち。

すべてこれ、かさや一つ目小僧が見ていたら、腹をかかえて笑うだろうほど、オバケ的である。さらに百鬼夜行の新興宗教。まさに、現代日本のオバケも過去に負けず、そのイマジネーションにおいて、世界に冠たるものである。

石仏――うぬぼれのない無名芸術

何度も言うように、絵描きや彫刻家が「芸術家」などとウヌボレだしたのは、明治から大正にかけて、西洋の近代芸術思潮が入ってきてからのことである。

ご本家の西洋だって、芸術家ヅラなんてものが生まれたのはまだ100年そこそこ。つまり生粋の近代思想なのである。

この思潮のおかげで、芸術はさらに純粋、強力になり、その自覚のもとに優れた作家を数多く生んだが、その代わりに、てんでしようもないくせにポーズだけで芸術家ぶるバカものも大量生産した。これはたしかだ。

もちろん芸術意識がはじまったから芸術ができたのではない。それ以前だって芸術はあった。あたりまえのことである。

とんでもないところから問題に入ったが、石仏《いしぼとけ》の望洋《ぼうよう》とした味わいのある顔を見ているとふとこんなことが言いたくなる。

高野山の夏季大学で講演したついでに、山内、奥の院の膨大な墓地を見て歩いた。たいした墓の数である。どだい、こんな場所はたのしいものじゃない。あまた〝名のあ

高野山の石仏（岡本太郎撮影）

る〟墓もあるのだが、どうも定石どおり。アカデミックな、いかにもすましたのばかりで感心しなかった。

だがいたるところにチョコナンとつっ立っている石仏の魅力に、私はすっかりほれ込んでしまったのである。

まことに鷹揚に微笑しているのがある。かわいらしいベソッかき顔がある。ぼうっとして正体のつかめない不可解な面持《おもも》ちで奇妙に神秘的なのがある。それぞれに個性ゆたかであり、しかもほとんど例外なしにすばらしい顔そして佇《たたず》まいだ。

不細工といえば不細工だが、厳粛で、またなんともいえない愛嬌がある。毅然《きぜん》としていてほのぼのとやわらかい、瞑想的でありながら無邪気。しかも世の一角をはっきりとにらんでいるよう、現実的だ。そして未来永劫《えいごう》の時間のなかに悠然《ゆうぜん》と佇んでいる。

このすばらしい作品が、忘れ去られたように、鼻が欠けたり頭が落ちたり、あっちこっちにごろごろと放ってある。まだ全国いたるところにあるはずだが、案外お目にかからない。きっとあまり無造作に放っておかれるので、自然消滅してしまうためだろう。

とかく仏像といえば奈良や京都の名ある寺に、いかめしく鎮座《ちんざ》ましました型どおりのものが大事がられ、こちらはほとんどとりあげられたことがない。文部省、文化財保護委員会、アカデミックな美術史家などの無能ぶりである。

だがそれもそうだろう。これらの仏さまのすばらしさは、つまり微塵もアカデミックでないという点なのだから。

いったいどんな人間がこういうものを彫ったのだろう。まったく無名の、田舎の石工。おそらく貧しい、人のよい、なんの誇りも野心も名誉も持ち合わせない、一生埋もれたままの人たち。

石屋の息子として、またあるいは小僧として育ち、粗末ながらその日その日を自分の腕で暮らし、来る日も来る日も同じように素朴で狭い生活のなかを、ノミを振りつづけ、年老いるまで働いた職人だ。注文もいまみたいにせっかちじゃなかった。だからのんびりとたのしみながら、工夫しながら彫ったのだろう。石もやわらかい、抵抗のない材質である。

うぬぼれも、やまっ気もない、作品とおなじような顔の石工の風貌が、日なたの匂いとともに私の心に浮かんでくる。

これらの石には民衆のゆたかさと、たのしさと、よろこびと、素朴な崇高さが刻み出されている。はからずもここにまた、優れた無名芸術がころがっていたのである。

光琳——時代を超える芸術家

18歳で日本を飛び出し、パリの芸術運動に飛び込んだ。日本の古い美形式、じめじめとせせこましく、くすんだ、しかもモッタイぶった気分にがっかりしていたからだ。

近ごろの若い人たちが、いわゆる日本的なるものにまったく見向きもしないで新しい芸術に走るのは、おなじような気持ちであるにちがいない。だいたい、いわゆる日本美なんてものは老人向きで、ピチピチした若者は縁がない代物という感じである。

このいわゆる日本美に対する反発——じつは古い美感覚のすべてにたいしてであったが——から、私は、もっとも反逆的なアヴァンギャルドの道に進み、重っくるしい母国の骨董など、きれいさっぱり蹴とばしたつもりでいた。

ある日、カルチエ・ラタン（パリの学生の街）を散歩していると、ふと本屋のショーウインドウに飾られた尾形光琳《おがたこうりん》の紅白梅図屏風《こうはくばいずびょうぶ》の絵の複製に眼がとまった。どきっとして私は立ちすくんでしまった。

尾形光琳《紅白梅図屛風》（部分、MOA美術館蔵）

その鋭さ、激しさ、華やかな気品。私がそれまで考えていた「日本的」という気どった枠から、これはまったくはみ出している。それが西欧の伝統の中心パリにたいして、厳然《げんぜん》とゆるぎないのである。

ちょうどその時、私がぶつかっていた新しい芸術の問題にあまりにも近い。その造形性の課題をみごとに技術的に解決していることに驚いた。私はわれとわが眼を疑《うたぐ》る気持ちであった。

一見すると、ひとつの大きな曲線の塊りが眼に飛び込んでくる。それと対立して引きぬかれた細い線の数々。——強烈な造形感覚だ。

よく見ると、それは梅の枝であり、水流

の形式化なのだが、そんなことはどうでもよい。少なくともパリの街の真中で、私の眼にはそう映ったのである。画面はもっとも近代的な抽象美を誇っている。恐ろしいほど正確で、絶対的な構成。大胆で、純粋！

私ははじめて母国と民族への信頼感を覚えた。私のなかにある「日本人」は、そのときから育ちはじめたのである。

光琳には他にも『燕子花図屏風《かきつばたずびょうぶ》』『八橋蒔絵螺鈿硯箱《やつはしまきえらでんすずりばこ》』など、これと同様、感動的な作品がある。

ところで、彼の生活ぶりにもなかなか逸話が多い。ある日、富豪連中と遊船をくり出して、嵐山に花見に出かけた。船のなかで、皆思い思いに贅をつくした弁当をとり出す。光琳だけはすまして、竹の皮包みを開き、握り飯をパクつきはじめた。

人々があきれてのぞいてみると、びっくり。竹の皮の裏側はベットリと金色に輝く花鳥山水の金蒔絵だったというのである。しかも、驚き騒ぐ連中を尻目に、ゆうゆうと食べ終わった光琳は、ポイとそれを河に投げ捨ててしまった。

ちょっと小憎たらしい伊達《だて》ぶりである。

「つむじ曲がり」とか、ハッタリといわれる。けっしてそんな安手のもんじゃない。世の俗物根性。そしてそのとおり相場にたいして、芸術家のきびしさが反発しないはずはない。ほんとうのスジを、ズバリと象徴的に、皮肉にぶつけるのだ。世間の人たちはそれをつむじ曲がりとか、逆説などと言ってしまう。それは時代をひらく英雄的行為なのだが。

私は光琳という人間、芸術家を推賞したいのである。

近代建築——逞しいダイナミズム

私の友人のフランス人、モダンアーティストが日本にやってきて、「日本は近代建築がどんどん建って、まことにうらやましい。パリなんか見たまえ」と嘆息《たんそく》していた。たしかにパリにしても、ロンドン、ローマなんて街は数百年も前からの石造建築がぎっしりと立ち並んで、身動きできないほど古めかしい感じである。だから内部の室内装飾を変えたり、壁にかける油絵の近代化ぐらいで、わずかに現代の空気をとり入れているという状態なのだ。

これにくらべて、わが国はすばらしい。ビルラッシュの掛声《かけごえ》たかく、あとからあとからニューモードの豪華スタイルが出現し、新時代を謳歌している。戦前の常識から考えれば、こんなのも人間の入る場所なのかねえ、というような超モダンなやつがぞくぞく建っていく。

まったく逞しく、景気のよい話だが、古い建物は地震、火事、戦争と相つぐ大掃除でどんどん跡かたもなくなっていく。そのおかげでこんなに近代的に建てられるのだと裏から考えてみれば、情けない話でもある。

いずれにしても新しい酒は新しい皮袋に盛れということわざのとおり、現代生活はそれにふさわしい機能を持った環境が必要であることはたしかだ。

不思議なことに、ずばぬけて近代的な建築が日本の現状のなかにあって、少しもふつりあいでもなし、おかしくもないのである。いったいどういうわけなんだろう。

近代建築の空間性、その開放性がかえって、日本的な要素をとり入れているからか。また日本というお国柄が、どだい超近代的なものと古くさいもの、貧乏と豪華、見せかけと裏側という矛盾の上に、危なっかしげながら一応のお体裁を保っているからだろうか。いやそれよりも、近代建築の様式の国際性、世界性だというべきだろう。

ところでこうなると哀れをとどめるのは、明治、大正期に建てられ、震災、戦災をまぬかれた西洋風の建物だ。ああいうのは屈辱的な植民地文化の象徴だ。

わが国にはなんの土台もない、西洋の伝統、石造建築やレンガ造りの単なる模倣、ひきうつし。まさに「西洋館」という骨董的呼び名にふさわしい。また銀行といえばなんのつもりか、とっぴょうしもなくギリシャ式の円柱を飾りたくっている。オッチョコチョイの典型だ。

さて、そういう異人館の一代表だった前の東京都庁が戦災にあって消え去ったあとへ、今度はびっくりするほど超モダン、スマートな近代建築が完成した。地上9階、漆黒の外枠が鉄のレースをかけたように、優美で強靭《きょうじん》な繊細さを見せ、そのあいだからガラスの壁が日にきらめき、皇居の石垣や松林と不思議にさわやかな調和をたもっている。

近寄ると、遠見《とおみ》の軽快さに似合わずたくましいダイナミズムである。巨大な構造を支えて堂々とそそり立つコンクリートの柱。充実した力学的均衡とまれに見る空間性がある。

鉄とガラスとコンクリートという、近代の生んだドライな素材、構造体をそのままズバリと打ち出して、虚飾、小細工、余分なものをいっさい切り捨てている。その代わりに、ポイントになる壁面と空間だけを、びしりと、原色の陶板画、数個の彫刻で押さえている。

いずれも私自身の作品だから、これについて言うのはやめて、みなさんの判断におまかせする。しかし冷たい直線的で無色の空間と強烈なコントラストになって、これが新しい緊張的なハーモニーを現出していることはたしかである。

丹下健三設計の旧東京都庁舎。内部に太郎の陶板レリーフ壁画が7作品あった。
写真：Kodansha/アフロ

旧東京都庁舎《日の壁》(1957)。1991年に建物とともに解体・廃棄された。

だいたい官庁とか役場というとコケオドカシで不粋、陰気で味気ないのがとおり相場だが、この都庁舎だけは明朗で軽快、世界広しといえどもこれだけ近代的な庁舎を持っている都市は少ない。

新しすぎるという評価もあるそうだが、とんでもない。

第一、お役所はとかくうわさが多いところ。外からくまなくすきとおってみえるガラス張りというのはサッパリして、お互いに気持ちがいいじゃないか。

中身の古さに合わせるなんて、グロテスクだ。根性の方はなかなか変わりがたい。まず入れものをサッソウとあらためて、それからだんだん中身までもだ。この国の若さを信頼するのである。

第8章

私は挑んだ、さて君たちは？

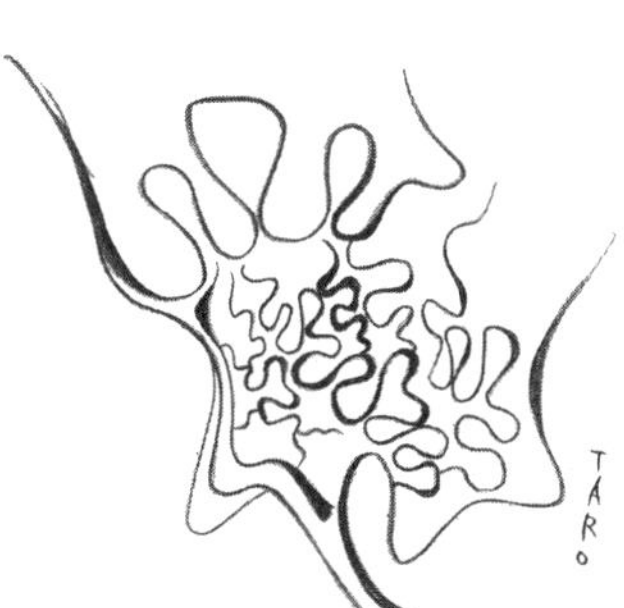

《太陽の顔》が据え付けられた太陽の塔の建設現場を視察する太郎。(1969.9.30)

万国博に賭けたもの

祭りは華やかにひらかれた。よくこんなにみごとに大事業が完成したものだ。会場に立つと、いまさらのように勤勉な日本人の集中力に打たれる。

ここに押し寄せ、集う大群衆がまた、すばらしい見ものである。若者もお爺さんもお婆さんも、熱心に、無邪気に、一生懸命に歩きまわっている。世界の他のどの場所でひらかれたとしても、一般民衆がこれほどの熱意と好奇心を持って、ひたむきにぶつかるなどということは想像できない。日本人の心は若いなあ、と私などはまことにうれしくなってしまうのである。

太陽の塔の空間は、このような人々に捧げる祭りのシンボルとして、まさにぴったりだったとわれながら思う。構想にとりかかる前から、私は「ベラボーなもの」をつくると宣言した。日本人は勤勉で純粋だが、底ぬけのゆたかさに欠けていると思うからだ。1970年を境に、新しい日本人像が出現したら。

どんなに経済成長をしても、うまく立ちまわっても、それだけではつまらないではないか。ふくよかな、幅のひろい人間的魅力がほしい。象徴的に「ベラボーなもの」をつきつけたのはその意味だ。

この広場に来て、すべての人が無条件になり、あのベラボーな祭りの雰囲気に同化されてほしい。人間はすべてその姿のままで宇宙に満ち、無邪気に輝いているものなのだ。

太陽の塔が両手をひろげて、無邪気に突っ立っている姿は、その象徴のつもりである。素っ裸の心で、太陽と、宇宙と合体する。日頃のこせこせした自分を脱け出して……「祭り」のよろこび、生きるよろこびがそこに生まれる。

「祭り」はたのしい。どうしてたのしいのだろうか。それは人間が全体的にひらききるチャンス、生きがいだからだ。

なぜ生きがいなのか。

人間はそもそも根源的に疎外されている。ほかの動物とはちがう、人間であるという誇りと可能性を意識した瞬間に、逆にまた絶望的な限界性に目ざめるのだ。そして、祭りにおいてこそ絶対と合一する。言い換えれば、己れをとりもどすのだ。

今日、一般に言われているのは、産業革命以来の社会現象としての疎外意識だが、そのはるか以前に、人間が人間として自覚した、その時から自己疎外は人間の骨にしみた病だったのである。

社会が発達し、生産と消費の周期が人間生活を支配しはじめる。そして道徳感では生産と蓄積が善であり、正しいかのように信じているが、しかしある瞬間、価値は逆転して猛烈な消費が生きがいとして行われる。

「祭り」だ。このとき人間は日常の卑小な枠を超えて、絶対、つまり宇宙と結びつくのである。

「万国博」に対して、さまざまの意味づけが試みられたが、私は万国博をそのような意味での祭りにすべきだと思っているのだ。

しかし考えてみれば、いや考えてみるまでもなく、現代ほど祭りの不可能になった時代はない。祭りの幻影、コマ切れになったエセ祭りは、日常生活のいたるところに氾濫し、精神を分散させている。

テレビのつまみをひねりさえすれば、日本全国はおろか世界中の祭りをダイジェストして見せてくれるし、プロ野球、ボクシング、競馬、歌でも踊りでもなんでもある。チャンネルを切りかえるだけでお好み次第だ。街に出ていけば、映画、音楽会、ゴーゴーの踊り場、ゲバルトのチャンスだってあるだろう。

しかし、なにかむなしい。それらは祭りの幻影にすぎないからだ。

だから今日の社会は人間の共同体としての、共通のリズムを失ってしまっている。ひとりひとりばらばらで、その個人がまた全体像のふくらみを持っていない。つまり自分自身が十全に自分ではないのだ。

これからますます近代社会が組織化され、システムの網の目が整備されればされるほど、人間はそのなかの部品にすぎなくなり、全体像、ユニティの感動、威厳を失ってくる。たとえ有能であっても、それはパーツとして優れているのであって、人間の全体像を体現することはないだろう。そして情報化時代になり、コンピュータ化が進めば進むほど、いよいよ本然の衝動が反映しなくなってくる。

こういう時代だからこそ、新しい呪文、切り札が必要なのだ。

私が万国博に協力するのは、この壮大な消費をそのような切実な決め手として生かしたい、生かさなければつまらないと思うからだ。いまの市民社会における、どうしようもない毎日毎日の惰性的なあり方をつき破るあらゆるチャンスを逃したくない。今度の万博が、そしていままでのそれが、人間にとって真の祭りであったか、あり得るかどうか、意見はいろいろあるだろうが、私はひとつの祭りに賭けたのだ。

私はたとえどんなきっかけで用意された場であろうと、万人に向かってひらかれている以上、そのチャンスを捉えない法はないと思うのだ。それを全人間的な幅で生かし、「祭り」を本来的な意味でひらききりたい。私はこの大きな投企《とうき》にベストをつくした。

ほんとうの調和は対立から生まれる

万国博はオリンピックなどより、もっと深く幅ひろい機会である。世界中のあらゆる地域からピープルがこの広場に集まる。現実に、なま身で参加し、相互にコミュニケートし、イメージを結晶させ、それぞれの文化の、生き方の独自性を誇示し、またたしかめあう。そして「人間であること」をつかみとる。

したがって、小さく閉ざされた地域共同体内の慣習、行事では全面的に対応できない。人類全体の情熱がひとつとなって燃焼する祭りがあるべきだ。

エキスポ'70のテーマプロデューサーを引き受けたとき、私はその中核に人間であることの誇り、生きていることのよろこびを爆発させたいと思った。テーマは「人類の進歩と調和」だ。正直に言って、いささかこの表現に抵抗を感じた。

一般に進歩というと、未来の方向にばかり眼を向ける。科学工業力を誇る。たしかにその面での発達は近年ますますすばらしく、生きた人間が月の上を歩いて、また地球にもどってこられる時代である。膨大な生産力は人々の生活水準を高めた。しかしそれがはたして真の生活を充実させ、人間的・精神的な前進を意味しているかどうかということになると、たいへん疑問である。

この世界中には新しい独立国が無数にあり、これからひらけていく運命にたいして身がまえ、希望を持っている。アジアではじめてひらかれる今度の万国博には、それらのAA諸国も競って参加するだろう。それなのにいままでの万国博のように科学や工業の成果ばかりを眩惑《げんわく》的に展示するというやり方だったら、開発途上にある新興諸国は肩身の狭い思いをしなければならない。

富と巨大な力を誇る大国だけが大きな顔をしているなんて卑しい。「祭り」にならない。そのような進歩主義、近代主義的な意識を、この際ぶち破らなければ、と思った。たとえ富や科学技術を持たない人々でも、その歴史の深さ、人間的ゆたかさによって、さらに誇らしいいろどりを打ち出せる。打ち出してほしい。日本万国博はそういう気配をみなぎらすべきだ。そういった意味で、第1回万国博と言いたいくらいだ。

また「調和」――美しい言葉だし、だれも反対する人はいないだろう。人間の運命は今日ますますひらけてきて、世界の人類は一体であるという連帯感が現実のものとなってきている。

いままで人種とか国家、貧富などによってまったく異質な動物のような別々の生き方を背負わされてきた人間たちだが、いまやわれわれの状況は世界の隅々まで同質である。同質の困難、同質の怖《おそ》れ、同質の歎《なげ》きにゆさぶられている。

核の恐怖ひとつとってみても、日本人、アメリカ人、インド人として生きると同時に、いやそれ以上に人類としての自覚を持って、賢明に調和して生きなければ、われわれは破滅の道に進むほかはない。

それはだれにもわかっている。にもかかわらず、矛盾・相剋は世界のいたるところにあり、火を噴き、血を流している。

古い観念でいえば、調和は互譲《ごじょう》の精神で、互いに我慢し、矯《た》めあって表面的和を保つという気分が強い。しかし、そんなことをするから、まことに危険なひずみが出てくるのだ。

私はそういうお体裁は大嫌いだ。人間を堕落させるものだと思う。

もしほんとうの意味で調和というなら、己れの生命力をふんだんにのばし、だからこそ他のふくらみにたいしても共感を持ち、フェアに人間的に協力するというのでなければならない。つまり激しい対立の上に火花を散らした、そのめくるめくエネルギーの交換によって成り立つ。それをほんとうの調和と考えたいのだ。

矛盾を内にはらみながら、それを跳躍台として飛躍してゆくダイナミックな進歩であり、調和である。

太陽の塔の誕生

さて、実際にこのテーマを見える形で表現するにあたっての裏話を少し公開しよう。

公式にテーマプロデューサーを頼まれたのは１９６７年の初夏だった。協会から話を持ってきたとき、テーマ展示についてはまだまったく白紙である。会場全体にばらまくか、正面入口のシンボルゾーンにまとめるかすべておまかせする。自由に考えてほしいという申し入れだった。

限られた予算である。モントリオール万博のように13ヵ所にも分散してはひどく弱くなる。私は1ヵ所に集中すべきだと考えた。

万博の中核テーマ館は、強烈な魅力をもって人を惹きつけなければならないのだ。

ところが、人が溜まっては困る。まことに奇妙なことだ。だがここは一日に何十万人の人が出入りする通路である。群集の流れを停滞させるような展示は置けないという。このまったく矛盾した条件を、どう解決したらいいのか。

瞬間、私は3つの層に分けよう、と考えた。同一平面ではとうてい不可能だ。地下・地上・空中と立体的に展示空間を重ね、流れをスムーズにする。それは私の世界観の形象化としてそうあるべきでもあった。

進歩といえばとうぜん未来を考えるわけだが、その像はじつは現在の投影である。さらに人間の奥深い根源にあるものを瞬間瞬間にふりかえって、その土台から未来を考えていかなければむなしい。

といっても、また古いものを郷愁的に讃美するのではなく、未来をつかみとる新しい眼で人間の過去、そして伝統を再発見するのだ。

考えてみれば、われわれの身体、精神のうちには、いつでも人類の過去、現在、未来が一体になって輪廻《りんね》している。私がテーマ館を3つの独立したスペースの複合体として構成したのはその意味からだ。

つまり、地上―現在、地下―過去、空中―未来、3つの層が重なりあい、それぞれが独自に充《み》ち足り、完結していながら、また渾然として一体である。それらは互いに響きあい、ひとつの環をなして、瞬間瞬間に、ぐるぐる回っている。

つまりマンダラ的宇宙であり、カルマである。そしてこの全体が、統一テーマ「人類の進歩と調和」を表現するのである。

　プロデューサーを受諾するかどうか、返事を保留したまま、私はまずこの構想を建築の基幹施設設計グループにぶつけた。

　万博準備は建設部門が先行し、このとき丹下健三をプロデューサーに、最前線の建築家13人による会場全体の配置計画も決定し、個々の施設の設計にとりかかっている段階だった。彼らを前にして、私は情熱的に、基本的な考え方から大づかみな構想まで、問題を提起した。やがて1ヵ月ほどして、建設部門から構想がまとまり、模型ができたという連絡。すぐ見に行った。

　アッと思った。メインゲートの正面に、シンボルゾーン全体をおおって巨大な大屋根がかけられている。40メートルの高みに、幅１００メートル、長さ３００メートル、厚みが10メートルという、大規模なスペースフレームの構造体が吊《つ》り上げられる。まさにそれは私の主張した未来の空間だった。

　まだそのときまではプロデューサーを引き受ける気になっていなかったのだが、私の提案に、建設部門がこのようにこたえてくれた以上、やらないわけにはいかないと覚悟を決めた。

よし、この世界一の大屋根を生かしてやろう。そう思いながら、壮大な水平線構想の模型を見ていると、どうしてもこいつをボカン！　と打ち破りたい衝動がむらむら湧きおこる。

優雅におさまっている大屋根の平面に、ベラボーなものを対決させる。屋根が40メートルなら、それをつき破ってのびる70メートルの塔のイメージが、瞬間に心にひらめいた。頂上に眼をむいた顔を輝かせ、会場全体を睥睨《へいげい》し、まっすぐに南端の高台に立つランドマークをにらんでいる。こういう対決の姿によって、雑然とした会場の、おもちゃ箱をひっくりかえしたような雰囲気に、強烈なスジをとおし、緊張感を与えるのだ。私は実現を決意した。

プランニングを建築家たちに見せると、はじめはあまりうれしい顔をしなかった。私のつくったものは、およそモダニズムとはちがう。気どった西欧的なかっこよさや、その逆の効果を狙った日本調の気分、ともども蹴とばして、ぼーんと、原始と現代を直結させたような、ベラボーな神像をぶっ立てた。

建築家たちに好かれないことは、最初からの覚悟である。しかし私の持論だが、徹底的

大屋根の模型から頭を出す太郎。太陽の塔の原風景だ。

な対決こそほんとうの協力なのだ。同調・妥協はなにも生み出さないし、不潔である。私はいつもそのスジをつらぬいてきた。

悪口大いに結構、猛烈な非難と絶賛と、相反する評価が渦巻くほうがほんとうだと信じている。抵抗が強いほどファイトが湧く、それは生きがいだ。はじめから結構でございますで済んでしまうようなものは意味ない。

ところが実際の塔ができあがってゆき、大屋根と同調してそのスケールが見えはじめると、私がいささかあっけにとられるほど、好評なのだ。はじめは疑問を持っていた人たちまで、塔を見上げながら、凄い、こんなものは見たことがない、ほんとうにベラボーだなあ、とうれしくてたまらないふうだ。太陽の塔は「タロー・タワー」「ベラボー・タワー」などとあだ名がつき、まったくエキスポ'70のシンボルそのものになってしまった。

太陽の塔が伝えるもの

展示についてくわしく説明する余裕はないが、大体の構想は次のとおりだ。

メインゲートから入って、正面の広場。ここはとうぜん「現在」である。人間の尊厳と、のびてゆく生命力、エネルギーを象徴する太陽の塔。この70メートルの巨大な彫刻を中心に、右に若さのよろこびをあらわす青春の塔、左には人間の優しさとゆたかさの象徴である母の塔が立っている。ここは、いま現にある人間存在を讃《たた》える調和の広場である。

ここから地下におりると、「過去―根源の世界」だ。

渾沌とした迷路、胎内の暗黒、その中に猛烈な生命力が渦巻く。〝いのち〟というものの神秘。人類が〝ひと〟として自然と対決して生き抜いてきた闘いのドラマ。さらに人間が自己の無力さ、限界をのり超えようとして信仰の対象とした、神や精霊、眼に見えない世界のもろもろの存在が群がり集まってわれわれを押し包み、〝こころ〟の対話を想起さ

テーマ館の設計スタッフに地下展示の哲学を説明する太郎。

せる。かつての「祭り」の遠いかすかなとどろきが、現代によみがえってくるのだ。

ここには世界の隅々から集められ、また寄贈された、神像、仮面、生活用具などの膨大な、貴重なコレクションが展示される。

太陽の塔は、根源から噴きあげて未来に向かう生命力の象徴である。

その内部は空中の未来展示に人々を運ぶ動線でもある。巨大な「生命の樹」が塔内をつらぬいてそそり立っている。そこには単細胞、アメーバから人類まで、生物の進化の歴史が凝集されている。人々はエスカレーターに乗って、生命の流れとともに上昇し、未来に向かうのである。

シンボルゾーン全体をおおう透明な大屋根。この内部に未来世界がくりひろげられる。空中に架けわたされた大屋根のフレーム自体が人工土地、未来都市への提案だが、さらに大胆な夢を投げかけるさまざまなカプセルや装置が、これからの生活を暗示し、語りかける。

このあと人々は一気にエスカレーターで母の塔に向かっておりてくるのだ。優しく抱きとめ、迎え入れてくれる母の懐だ。そして「調和の広場」に群れつどう、人種・国籍・肌の色も眼の色も、育ってきた環境もちがう、世界中の人々。この大観衆そのものが「人類の調和」を顕現する感動的な展示の一要素である。

さらにその背後には「世界を支える無名の人々」の写真展が、さまざまな条件、環境の中で、黙々と闘い生き抜いている名もない生活者の一日を記録している。人間存在の多様さ、それにもかかわらず、ともにいま生きているという共感を謳《うた》いあげる。

人々は現在、過去、未来とめぐってふたたび現在にかえる。このテーマスペースの巨大な循環がすべての人の心に人間であることの幅、重み、そのすばらしさをよびさまし、強烈な「祭り」のよろこびをもりあげることを期待した。

ほんとうの「人類の進歩と調和」とはなにか。ぜひ考えてもらいたい。

おわりに

平野暁臣

芸術はマニアの占有物ではないし、スノッブの教養でもない。ビジネスの商材でもなければ、金庫に溜め込む資産でもない。芸術とはあくまで民衆《ピープル》のものであり、無償無条件でエネルギーを放射し続ける太陽のようなものであって、日々のくらしのなかに生きるものだ。

そう考える岡本太郎は、膨大な作品群を制作する傍《かたわ》らで、数多くの著作を社会に送り出しました。芸術論、文化論、人生論、社会論……、ジャンルはさまざまなれど、想定読者はあくまで市井《しせい》の人々。だからいずれも平易な文体で書かれています。

特筆すべきは、戦後の日本社会に現代芸術の概念を浸透させようとしたこと。ベストセラー『今日の芸術』（1954年）が象徴するように、はやくも1950年代から、芸術の本質と意義をわかりやすく解説する試みに着手しています。

前衛芸術家がそんなことをしたら損をするだけなのに、大衆相手の啓蒙《けいもう》に力を注いだのは、ある種の使命感からだったにちがいない。ぼくはそう考えています。

パリからもどって旧態依然とした日本美術界を目の当たりにしたとき、国際標準に書き換えなければいつまで経ってもガラパゴスのままだ、パリで20世紀芸術の最前線に立ち会ったオレにはそれをやる責務がある、そう考えたのではないかと。

そしてなにより決定的なモチベーションだったのは、なんでもない市井の人々こそ、芸術の感覚、芸術家の精神をもって日々生きるべきだと考えていたことでしょう。じっさい太郎は『今日の芸術』の冒頭にこう記しています。

「問題は、けっして芸術にとどまるものではなく、われわれの生活全体、その根本にあるのです。だから、むしろ芸術などに無関心な人にこそ、ますます読んでいただきたい」

芸術感覚をもって創造的に生きることこそが、生きがいを持った人間らしい生き方であり、そう生きることこそが芸術なのだ。

芸術は道ばたの石ころとおなじでありがたいと拝むようなものじゃないし、特別な教養がなければわからないものでもなければ、専門的な技法の習得なしにはつくれないものでもない。

そもそも芸術は職能じゃない。だれだって生まれながらに芸術家なんだ……。

芸術、即、人生。人生、即、芸術。

この芸術観・人生観こそが〝岡本藝術〟の本源であり、それゆえに太郎は生涯をとおして現代芸術の本質と自らの芸術思想を大衆に語りつづけたのでしょう。

芸術とはなにか。創造とはなにか。芸術家とはなにか。

本書は、岡本太郎がのこした膨大な著作のなかから、芸術感覚と芸術家精神に関するテキストを集成し、再構成したものです。

これまでにも著作群を再編集した書籍はあったけれど、そのほとんどは〝生き方〟を主題にしたものでした。

対して本書のテーマは「芸術精神・芸術感覚をもって生きる」こと。

芸術とは生活であり、生活こそが芸術だ。

そう考える岡本太郎の芸術思想の片鱗《へんりん》に触れ、なんでもない毎日にわずかでも芸術の構えと視座をとりいれる契機になれば……。そう願いながら編集作業を行いました。

セレクトに際して優先したのは、図書館で探索しない限り出会えない絶版本や新聞雑誌への投稿などのレアなテキストです。この機会をとらえて、埋もれていた文章に光を当てたいとの思いからでした。

驚くべきは、収録テキストのほとんどが50~70年前に書かれたものなのに、いま読んでもまったく古くないこと。それどころか、いまこそ読むべき提言であり、いまこそ習得すべき教えに満ちている。その普遍性たるや尋常ではない強度を備えています。

太郎がほんとうのこと、真っ当なことしか言わなかったからです。

リアルタイムで太郎を知る世代には「奇をてらった言動を売りにした変わり種」とイメージする向きが少なくないけれど、じっさいは逆。ゆいいつ考えていたのは「人間とはなにか」「芸術とはなにか」「生きるとはなにか」であり、人間存在の本質でした。

どんなに時代が進もうと、ひとの本質はそう簡単には変わりません。だからいつまでも古くならないし、時代を超えて心に響くのでしょう。

太郎の言葉にはウソもハッタリも皮算用もありません。むろん打算や保身とも無縁。他人《ひと》から聞いた話もしなければ、他人にこうしろとも言わない。

ただ「オレはこう思う」「オレはこうする」と言うだけです。

太郎の凄いところは、自らの信念を駆け引きなしに世間にさらし、それをそのまま実践してみせたこと。

思ったことは言う。言ったことはやる。人生を賭《と》して「岡本太郎」をやりぬく。

この本にはそんな岡本太郎の芸術観・世界観・人生観がぎゅっと詰まっています。

けっして他人事《ひとごと》ではありません。

半世紀の時空を超えて語りかけてくる太郎の言葉がまっすぐに届くのは、それがいまを生きるぼくたちに必要な成分であり養分だから。

読み進むうちに、いつのまにか自信が湧きたち、誇らしい気分になるのがその証左です。

岡本太郎はけっして過去の偉人などではありません。

いまこの瞬間を生きるぼくたちと共にある〝ライブな〟存在なのです。

■プロデュース・構成

平野暁臣

空間メディアプロデューサー／岡本太郎記念館館長

1959年生まれ。大阪万博で岡本太郎が創設した現代芸術研究所を主宰し、イベントやディスプレイなど“空間メディア”の領域で多彩なプロデュース活動を行う。2005年岡本太郎記念館館長に就任。明日の神話再生プロジェクト、岡本太郎生誕100年事業、太陽の塔再生プロジェクトを率いた。『万博入門』『大阪万博』『岡本藝術』『太陽の塔』『岡本太郎と太陽の塔』（小学館）、『入門！ 岡本太郎』（興陽館）、『太陽の塔　新発見！』『太陽の塔―岡本太郎と7人の男たち』（青春出版社）ほか著書多数。

■出典一覧

序　章「わからないということ」「われわれの土台はどうか」
（『今日の芸術』光文社 1954）
第1章「対極」（『岡本太郎』平凡社 1979）
「古い殻を脱ぎ捨てる」（『美術手帖』No.90 1955）
「生き、仕事をしてゆく意味」（『美術ジャーナル』1961.8月号）
「根源の美―縄文文化の人間発見」
（『大地と呪術―日本文化の歴史1』学研 1969）
第2章「デザインと芸術」（『デザインの思想―現代デザイン講座1』
（風土社 1971）
「芸術家とはどういう人間か」
（『現代文学講座Ⅰ―日本文学学校』飯塚書店 1958）
第3章「絵画における技術とはなにか」（『黒い太陽』美術出版社 1959）
「芸術の衝動と自由な表現」（『美術手帖』No.127 1957）
第4章「創ること・味わうこと」
（『生活のたのしみ―現代女性講座8』角川書店 1960）
「造形の美」（『美の誘惑―現代人の美学』河出書房新社 1963）
第5章「ピカソ発見」（『青春ピカソ』新潮社 1953）
「中南米に見る生命の深淵」（『美の世界旅行』新潮社 1982）
第6章「伝統と創造」「伝統と現代造形」（『黒い太陽』美術出版社 1959）
「伝統とは何か」（『私の現代芸術』新潮社 1963）
第7章「日本礼賛」（「北海道新聞」連載 1982）
第8章「万国博に賭けたもの」（『日本万国博―建築・造形』恒文社 1971）

※なお、著作権者の了解のもと原稿を一部改変しています。

■協力

公益財団法人岡本太郎記念現代芸術振興財団／岡本太郎記念館
川崎市岡本太郎美術館
大阪府日本万国博覧会記念公園事務所
現代芸術研究所

著者略歴

岡本太郎（おかもと・たろう）

1911〜1996年。1929年に渡仏し、『アプストラクシオン・クレアシオン（抽象・創造）協会』に参加するなど、30年代のパリで前衛芸術運動に参画。パリ大学でマルセル・モースに民族学を学び、ジョルジュ・バタイユらと行動をともにした。40年帰国。戦後日本で前衛芸術運動を展開し、問題作を次々と社会に送り出す。51年に縄文土器と遭遇し、翌年「縄文土器論」を発表。50年代後半には日本各地を取材し、数多くの写真と論考を残した。70年大阪万博のテーマプロデューサーに就任。太陽の塔を制作し、国民的存在になる。96年に没した後も、若い世代に大きな影響を与え続けている。『今日の芸術』『日本の伝統』（光文社）、『沖縄文化論』（中央公論社）、『美の呪力』『青春ピカソ』（新潮社）ほか著書多数。

SB新書　607

誰《だれ》だって芸術《げいじゅつ》家《か》

2023年 2月15日　初版第1刷発行

著　　者　岡本太郎《おかもとたろう》

発 行 者　小川 淳

発 行 所　SBクリエイティブ株式会社
〒106-0032　東京都港区六本木2-4-5
電話：03-5549-1201（営業部）

プロデュース 構成　平野暁臣

装　　丁　杉山健太郎

本文デザイン DTP　株式会社ローヤル企画

校　　正　有限会社あかえんぴつ

編　　集　北 堅太（SBクリエイティブ）

印刷・製本　大日本印刷株式会社

本書をお読みになったご意見・ご感想を下記URL、
または左記QRコードよりお寄せください。

https://isbn2.sbcr.jp/18704/

落丁本、乱丁本は小社営業部にてお取り替えいたします。定価はカバーに記載されております。本書の内容に関するご質問等は、小社学芸書籍編集部まで必ず書面にてご連絡いただきますようお願いいたします。

ISBN 978-4-8156-1870-4